Speaking and Listening Workbook

High School 2

Español Santillana

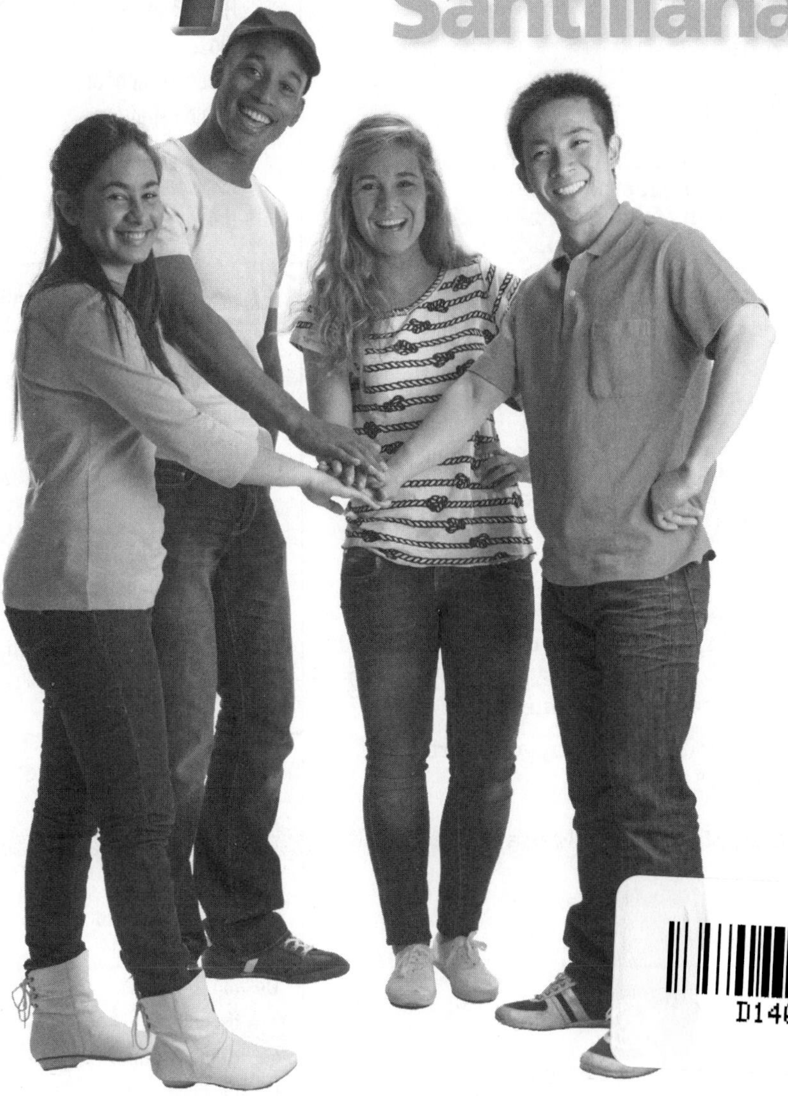

SANTILLANA USA
Language Education Experts

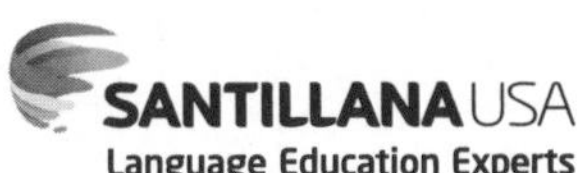

***Español Santillana. Speaking and Listening Workbook* 2 is a part of the *Español Santillana* project, a collaborative effort by two teams specializing in the design of Spanish-language educational materials. One team is located in the United States and the other in Spain.**

Writers
Carlos Calvo
Ana I. Antón
Belén Saiz Noeda

Developmental Editor
Belén Saiz Noeda

Editorial Coordinator
Anne Smieszny

Editorial Director
Enrique Ferro

Published in the United States of America.

Español Santillana.
Speaking and Listening Workbook 2
ISBN-13: 978-1-61605-349-9

Illustrator: **José Zazo**
Picture Coordinator: **Carlos Aguilera**

Production Manager: **Jacqueline Rivera**

Design and Layout: **Jorge Borrego, Hilario Simón, José Luis Serrano**

Proofreaders: **Marta Rubio, Marta López**

Photo Researchers: **Mercedes Barcenilla, Amparo Rodríguez**

Printed in Panama by Albacrome S.A.

Santillana USA Publishing Company, Inc.
2023 NW 84th Avenue, Doral, FL 33122

1 2 3 4 5 6 7 8 9 10 20 19 18 17 16

Contenidos

Vamos a recordar

Nombre: .... **Fecha:** ....

1 El mundo hispano

▶ **Escucha y elige.** Listen to the information about the Hispanic world. Then indicate whether the statements below are true or false by circling *C* (*Cierto*) or *F* (*Falso*).

1. Hay más de 400 millones de hablantes de español. C F
2. En los Estados Unidos no hablan español. C F
3. El español tiene su origen en México. C F
4. Cristóbal Colón lleva el español a América en el siglo XV. C F
5. México es el país hispanohablante más poblado. C F

2 Mensaje secreto

▶ **Escucha y escribe.** Listen to the code and write the corresponding number next to each letter.

A = ______	B = ______	C = ______	D = ______	E = ______	F = ______
G = ______	H = ______	I = ______	J = ______	K = ______	L = ______
M = ______	N = ______	Ñ = ______	O = ______	P = ______	Q = ______
R = ______	S = ______	T = ______	U = ______	V = ______	W = ______
X = ______	Y = ______	Z = ______			

▶ **Escribe y escucha.** Now write the letters that correspond to these numbers in order to "decode" the secret message.

4 11 8 19 101 8 19 11 7 21 32   2

100 19 2   19 100 8 101 2   2 101 8 19 57 100 16 2

7 8   15 21 32   10 2 19 32

7 8 15   8 32 12 2 20 21 15

3 Maravillas hispanas

▶ **Escucha y relaciona.** Listen to the information. Then match each label with the corresponding picture and write the name of the country where each place, monument, or festival is located or takes place.

1. el lago de Atitlán
2. la fortaleza de El Álamo
3. la Casa del Cordón
4. los sanfermines
5. el carnaval de Oruro
6. el salto Ángel

A

C

E

B

D

F

1. D. Guatemala
2. ____________
3. ____________
4. ____________
5. ____________
6. ____________

4 Suena diferente

▶ **Escucha y elige.** Listen to the sentences and circle the word you hear.

1. Para vivir / beber saludablemente bebo / vivo mucha agua.
2. Pasar / Pesar bien el rato / reto es todo un rato / reto.
3. Mi tía Amalia / Amelia toma tela / tila y jugo / juego de limón.
4. La luna / lona ilumina los mantos / montes.

Escucho español

Nombre: .... **Fecha:** ....

5 Saludos

▶ **Escucha y responde.** Listen to the conversation between two students and answer the questions.

1. ¿Cómo se llama la chica? ______________________
2. ¿Quién es Aurora Rodríguez? ______________________
3. ¿Cómo es la profesora de Español? ______________________
4. ¿Cómo es Daniel Flores? ______________________
5. ¿Cómo está Víctor? ______________________

6 En la clase de Español

▶ **Escucha y relaciona.** Listen to the descriptions and write the name of the appropriate person below each picture.

A

____

C

____

E

____

B

____

D

____

F

____

7 ¿Qué necesito?

▶ **Escucha, completa y dibuja.** Listen to the conversation between Sara and her mother. Then complete the list of the objects Sara needs and draw them inside the backpack.

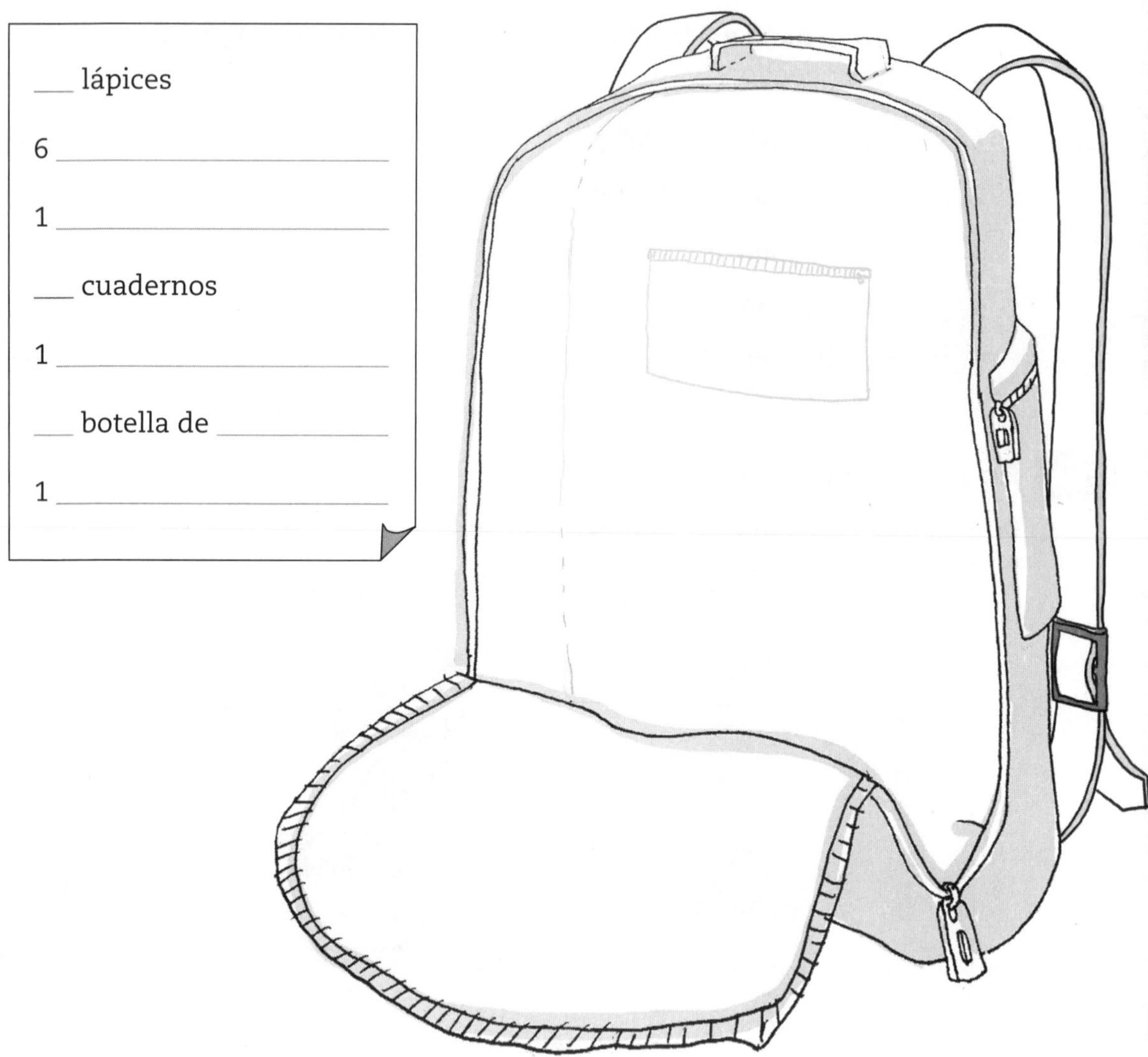

___ lápices

6 ______________

1 ______________

___ cuadernos

1 ______________

___ botella de ______

1 ______________

8 El primer día de clase

▶ **Escucha y elige.** Listen to Sandra and decide if each statement is true (*C*) or false (*F*).

1. Sandra está emocionada porque hoy es su cumpleaños. C F
2. Pedro está triste porque no quiere ir a la escuela. C F
3. Luisa está nerviosa porque tiene un examen. C F
4. La señora Ruiz está enojada porque los alumnos no la escuchan. C F
5. David siempre tiene hambre. C F
6. Carol tiene frío porque es invierno. C F

Nombre: .... **Fecha:** ....

9 Presentaciones en el salón de clase

▶ **Habla.** In pairs, introduce and describe yourself. Then take turns with your partner asking and answering about your families.

Modelo

10 ¿Cómo son y cómo están?

▶ **Habla.** With a partner, take turns describing the people in the pictures. Tell what these people look like, how they feel today, and what the reason might be. Be careful with agreement.

Modelo

La señora Rivera es delgada y seria. Está cansada.

Sí, está cansada porque viaja todos los días dos horas para llegar al trabajo.

11 Mochilas

▶ **Habla.** In pairs, play a guessing game. Choose one of the following backpacks. Then your partner ask you questions in order to guess which one you chose. Remember to switch roles.

Modelo

¿Hay tres bolígrafos en tu mochila?

¡Sí, hay tres!

¿Y hay una computadora?

¡Sí!

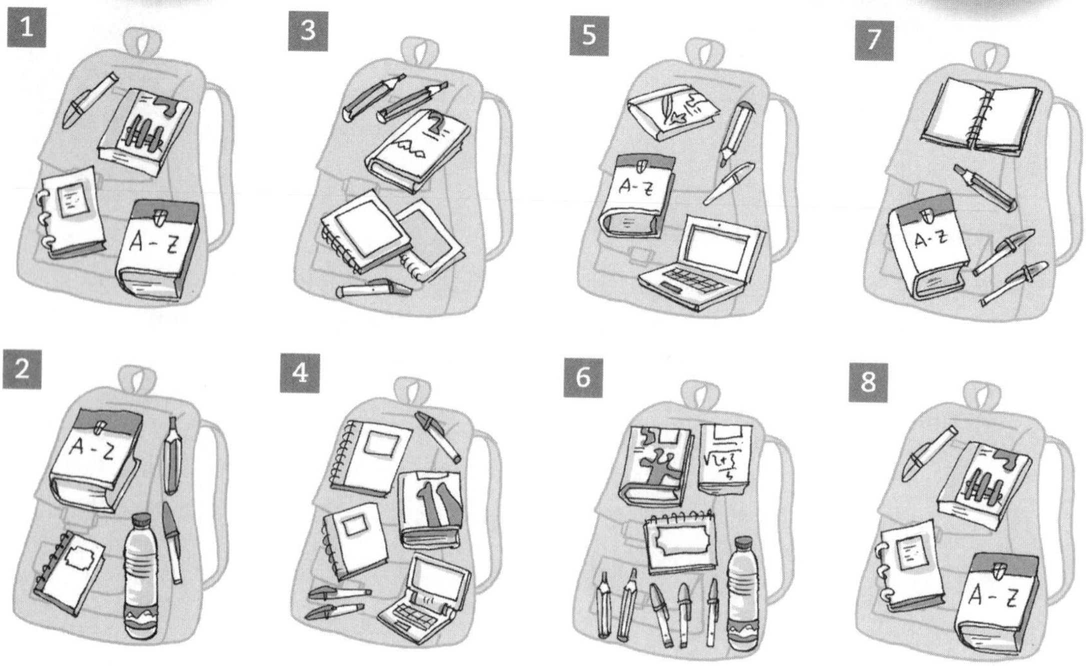

12 Mi familia y yo

▶ **Habla.** In pairs, talk about your family. Bring a picture of your family to class and describe it to your partner. He or she may ask you questions.

Modelo

Esta es mi familia. Aquí estamos en Caracas. El hombre del pelo blanco es mi abuelo y a su lado está mi abuela. ¡Los dos son muy simpáticos y siempre están contentos!

Nombre: .... **Fecha:** ....

13 La casa de Mariano

▶ **Escucha y elige.** Listen to Mariano describe his house. Then choose the corresponding picture.

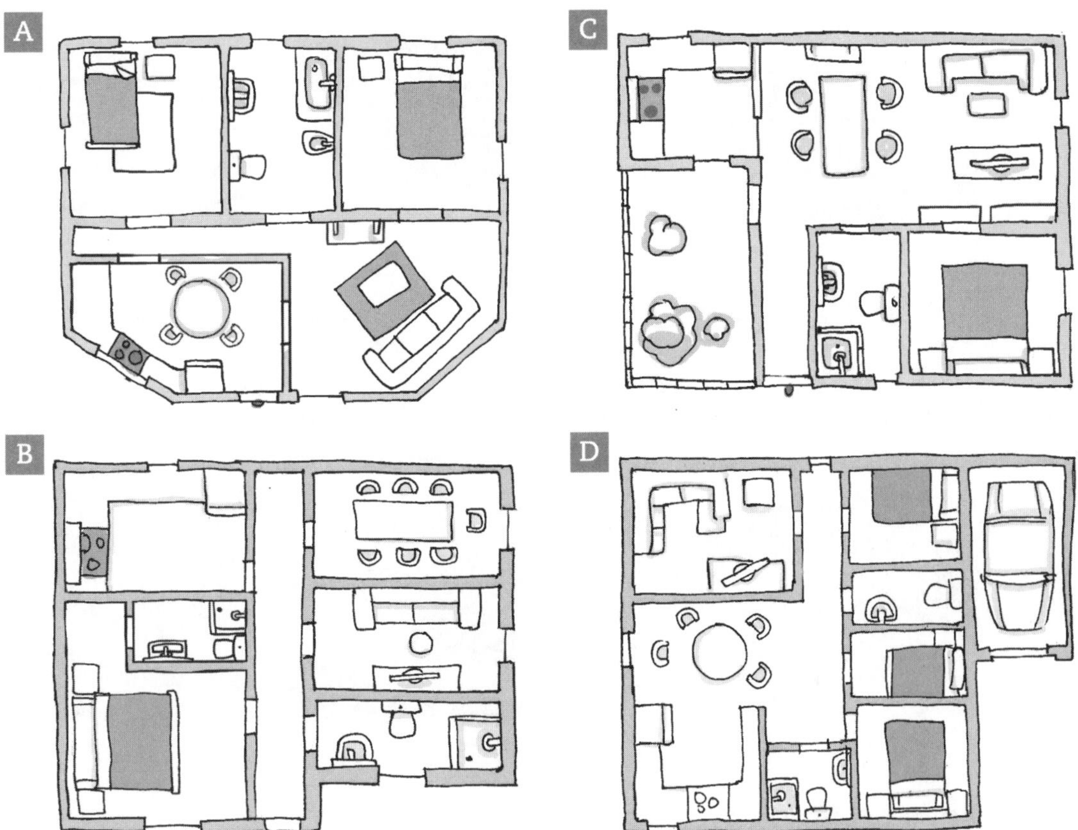

14 Las preferencias de Lisa

▶ **Escucha y elige.** Listen to Lisa. Then mark in the chart how much she likes each item.

	Nada	Poco	Bastante	Mucho
1. Las camisetas de colores.				
2. Las camisetas blancas.				
3. Los suéteres de lana.				
4. Los pantalones cortos y anchos.				
5. Los pantalones largos.				
6. Los vestidos largos de algodón.				

15 ¿Qué comemos hoy?

▶ **Escucha y relaciona.** Listen to a conversation among six friends in a restaurant. Then draw lines to match the people with the food they want to eat.

16 En casa de Juan

▶ **Escucha y completa.** Listen to Juan and fill in the blanks with the missing verbs.

Tareas para toda la familia

¡En mi casa, todos ______________ muchas tareas! Mi mamá ______________ la cocina y yo ______________ los muebles. Mi papá y mi hermano Jaime ______________ el césped, y mi hermana Luz y yo ______________ a nuestro perro Simplón. Por la tarde, Jaime ______________ la basura y mi mamá ______________ la cena. Luz y yo ______________ también. Mi papá ______________ la mesa. ¿Y tú? ¿______________ tareas en casa? ______________ venir a ayudarnos. ¡Va a ser un día muy largo!

Nombre: .... **Fecha:** ....

17 ¿Cuánto te gusta?

▶ **Habla y escribe.** Interview ten classmates to find out how much they like certain foods. Then write the information in the chart below.

Modelo

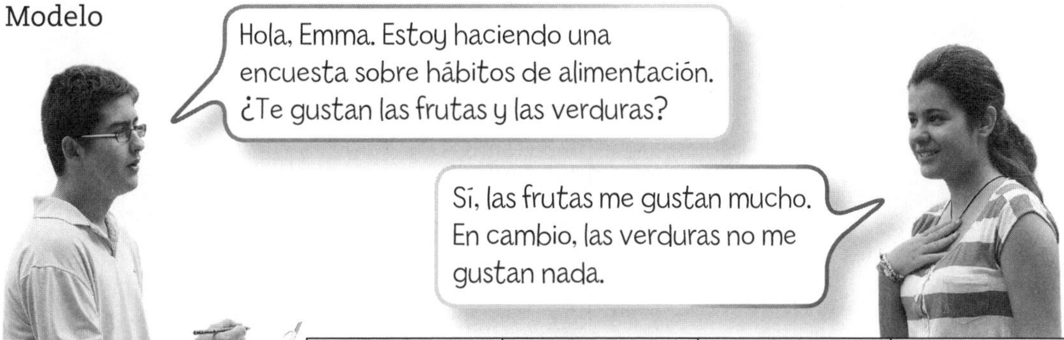

Hola, Emma. Estoy haciendo una encuesta sobre hábitos de alimentación. ¿Te gustan las frutas y las verduras?

Sí, las frutas me gustan mucho. En cambio, las verduras no me gustan nada.

		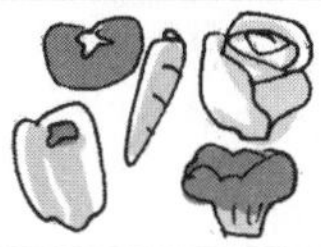	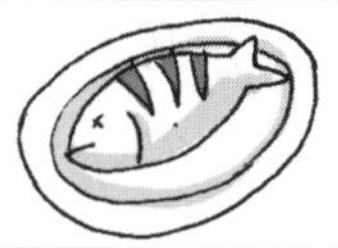	
1. ______				
2. ______				
3. ______				
4. ______				
5. ______				
6. ______				
7. ______				
8. ______				
9. ______				
10. ______				

▶ **Habla.** Now present the results of your interview to the class.

Modelo

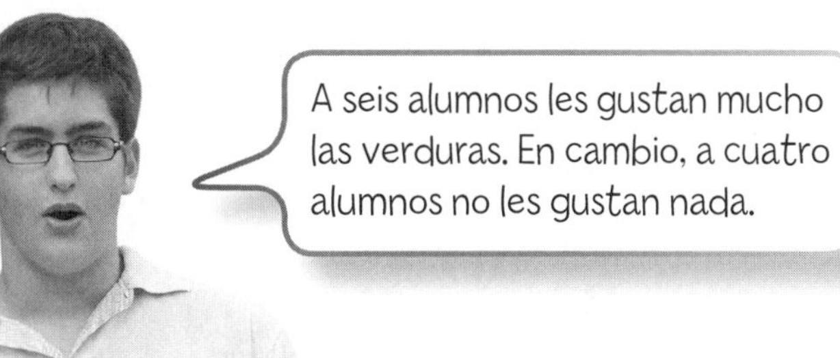

18 Tareas en familia

▶ **Habla.** With a classmate, take turns saying who in your family does the household chores below.

Modelo

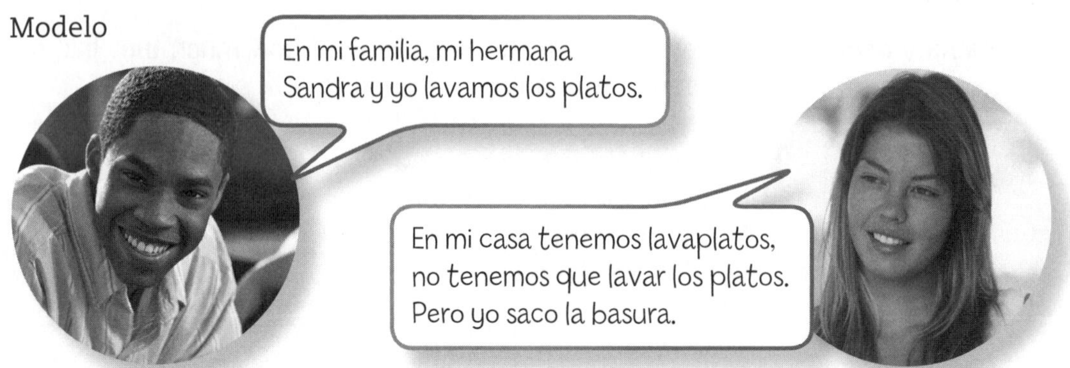

limpiar las ventanas	*sacudir los muebles*
ordenar el cuarto	*limpiar el baño*
hacer la compra	*lavar los platos*
cortar el césped	*sacar la basura*

19 A la moda

▶ **Habla y dibuja.** With a classmate, take turns describing the clothes this creature needs to survive in each situation. You describe the clothes for situation A and your partner draws them. Then switch roles for situation B.

A. Miami, 15 de julio.

B. Chicago, 15 de diciembre.

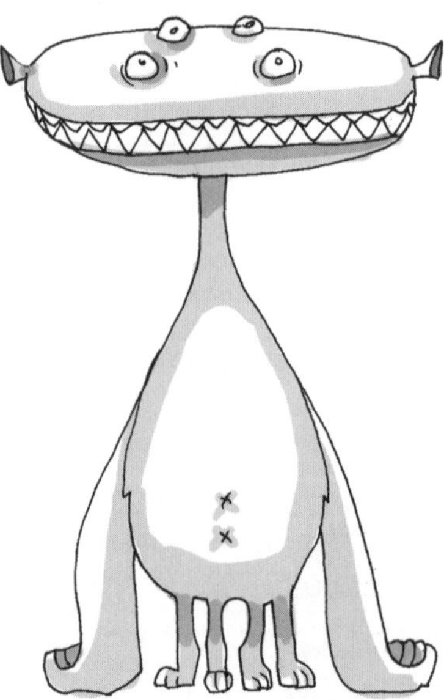

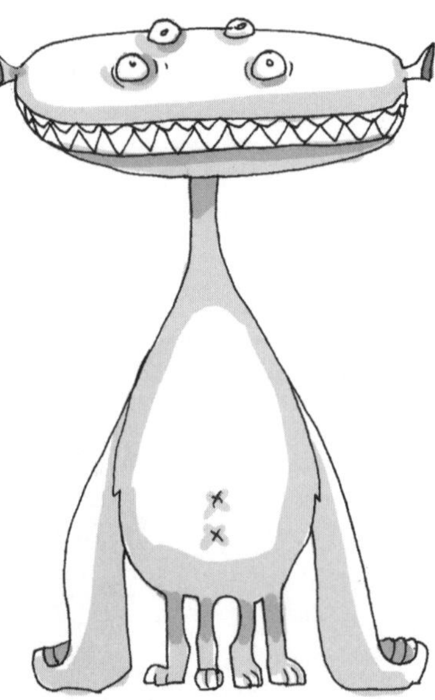

Nombre: .... **Fecha:** ....

20 ¿Qué te duele?

▶ **Escucha y escribe.** Listen to the mini-dialogues. Then write the name of each patient next to the corresponding part of the body that hurts.

▶ **Escucha y escribe.** Listen again and write the indicated remedy for each person.

Cristina: ____________________

Julio: ____________________

Linda: ____________________

Marcos: ____________________

Norma: ____________________

Darío: ____________________

21 Los pasatiempos de la familia Ramos

▶ **Escucha y completa.** Listen to the Ramos family members and fill in the chart to indicate how often they do certain activities.

	Escuchar música	Jugar a los videojuegos	Leer libros	Ver películas
Juan				
Sebas				
Isabel				
Catalina				

22 Un matrimonio feliz

▶ **Escucha y completa.** Listen to Mr. and Mrs. Gómez and complete the sentences with the missing reflexive verbs in the appropriate form.

1. Los señores Gómez ______________________ muy temprano.
2. En el cuarto de baño, cuando el señor Gómez ______________________, la señora Gómez ______________________.
3. Los señores Gómez nunca ______________________ en el cuarto de baño.
4. La señora Gómez ______________________ muy bien.
5. La señora Gómez siempre quiere ______________________ temprano.
6. Los señores Gómez ______________________ casi a la vez.

23 ¡Me gusta el deporte!

▶ **Escucha y elige.** Listen to Carlos and decide if each statement is true (*C*) or false (*F*). Then write which sport Carlos plays for his school.

1. Carlos tiene entrenamiento todos los días. C F
2. El equipo de Carlos puede ganar la competición. C F
3. Carlos mide más que el capitán del equipo. C F
4. Carlos juega al fútbol todos los días. C F

Carlos juega ______________________.

Nombre: .... **Fecha:** ....

24 Somos doctores

▶ **Habla.** In pairs, take turns explaining the problems these people have and giving them advice to get better.

Modelo

1

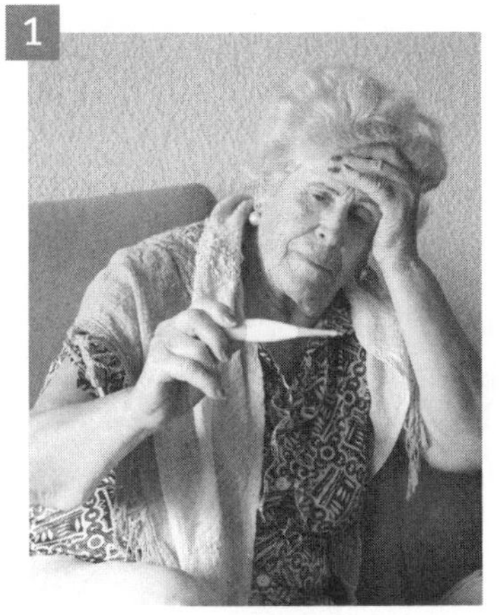

La señora Suárez

3

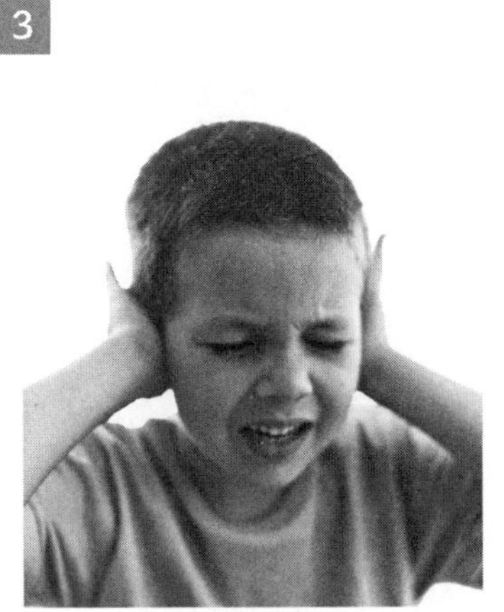

Pedrito

5

Lucas

2

El señor Vargas

4

Jimena

6

Isabelita

25 En mi tiempo libre

▶ **Habla.** In pairs, talk about your leisure activities. What do you like or prefer to do? How often?

Modelo

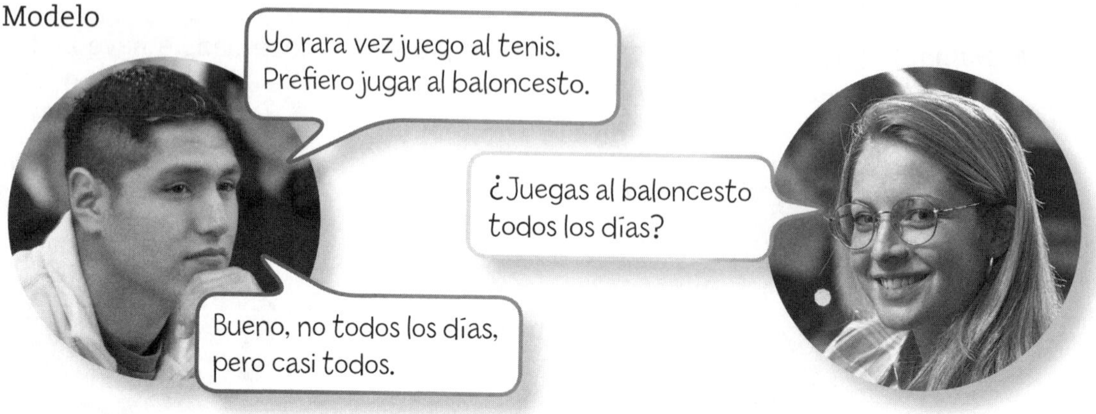

Yo rara vez juego al tenis. Prefiero jugar al baloncesto.
¿Juegas al baloncesto todos los días?
Bueno, no todos los días, pero casi todos.

1

3

5

7

2

4

6

8

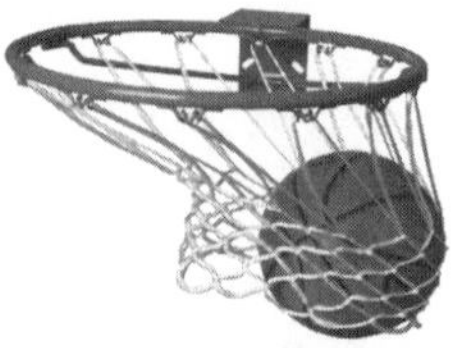

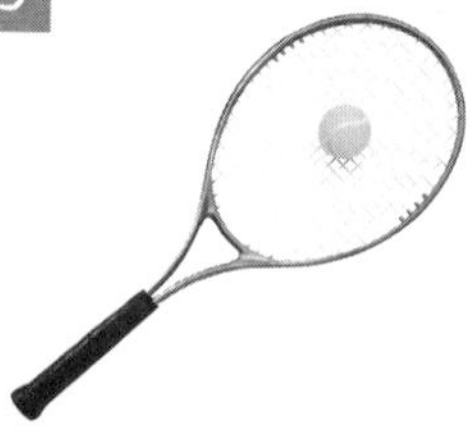

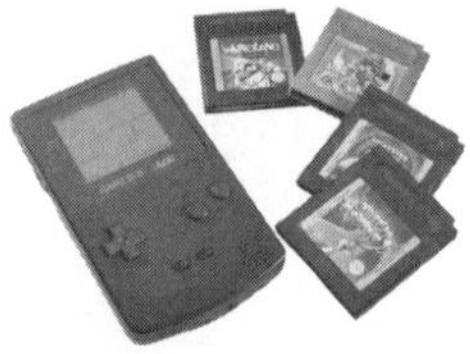

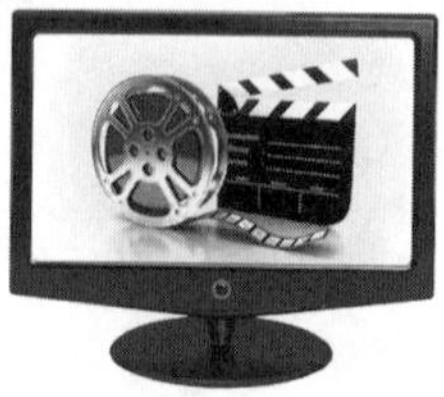

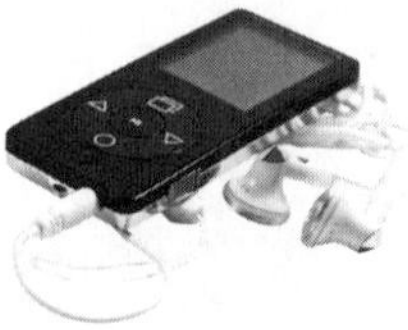

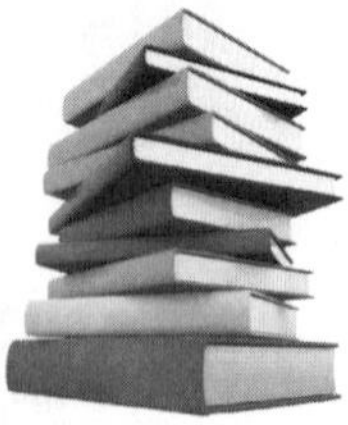

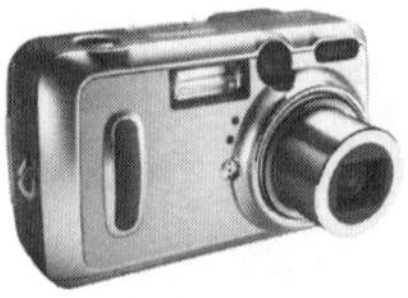

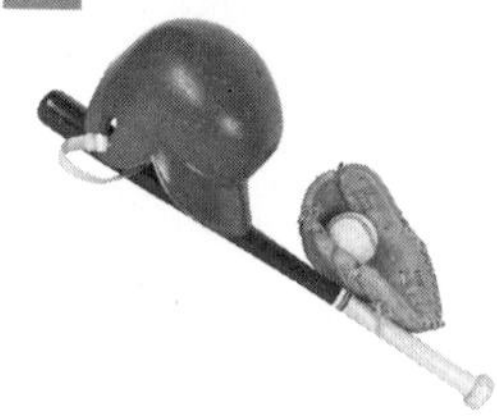

26 Rutinas

▶ **Habla.** Interview your partner about his or her daily routine. Then present it to the class.

Modelo

¿A qué hora te levantas?
Yo me levanto casi siempre a las siete de la mañana.
¿Y qué haces después de levantarte?
Voy a la cocina. En mi casa, desayunamos todos juntos.

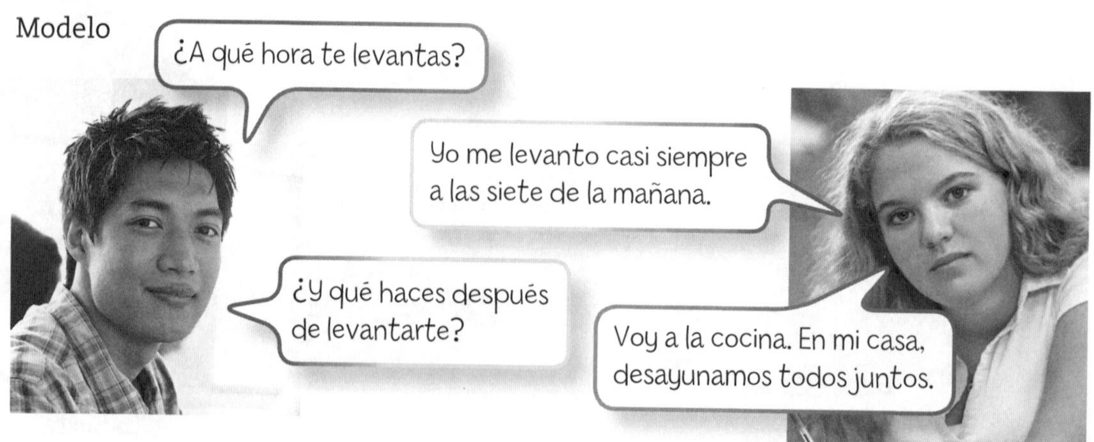

Nombre: .... **Fecha:** ....

27 Camino a la escuela

▶ **Escucha y dibuja.** Listen to Juanita describe her neighborhood. Then draw the route she must take to get from home to school.

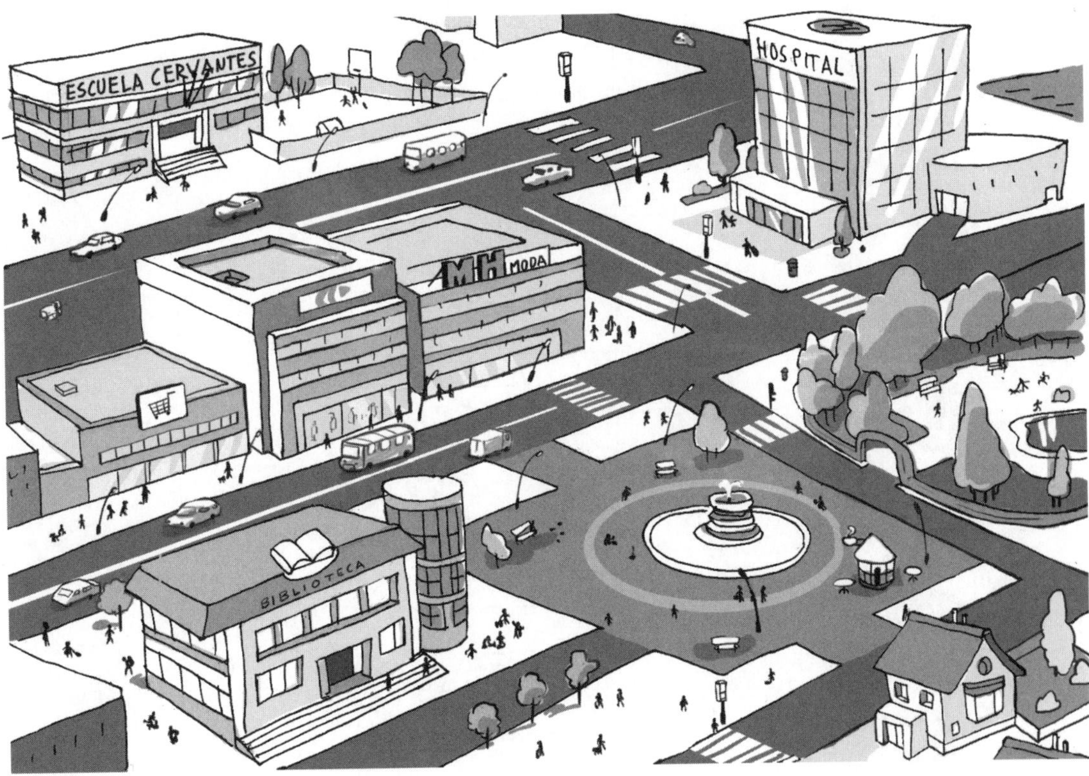

28 ¡Qué nervios!

▶ **Escucha y elige.** Listen to Javier and decide if each statement is true (*C*) or false (*F*). If the statement is false, rewrite it correctly.

1. La maleta de Javier está encima del armario. C F

   ____

2. La raqueta de Javier está dentro del armario. C F

   ____

3. La guía turística está al lado del diccionario de español. C F

   ____

4. La estación está lejos de la casa de Javier. C F

   ____

29 ¿Adónde van?

▶ **Escucha y relaciona.** Listen to some people talking about their plans for vacation. Then draw lines to match each person with the chosen mode of transportation and his or her destination country.

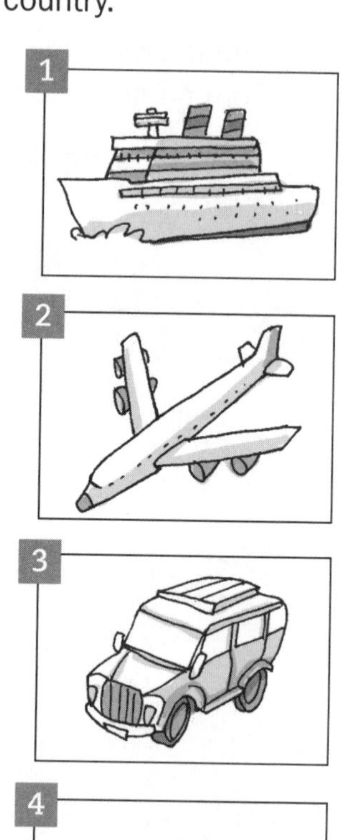

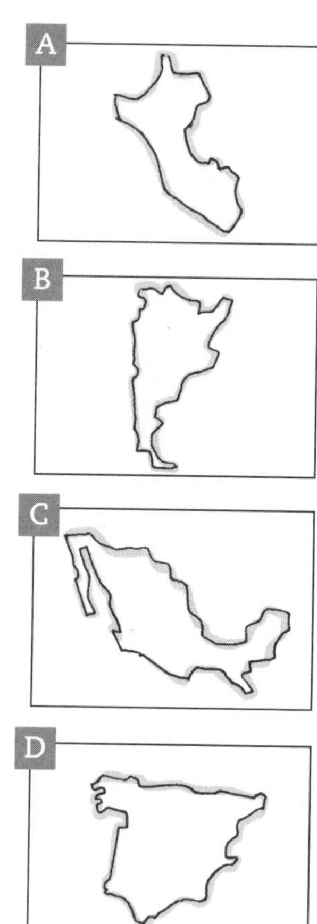

30 De viaje

▶ **Escucha y elige.** Listen to the conversation between Paz and Álex. Then choose the correct answer.

1. ¿Dónde están Álex y Paz?
   a. En una ciudad. b. En la costa. c. En el campo.
2. ¿Cómo van a viajar a Arequipa?
   a. En coche. b. En avión. c. En tren.
3. ¿Cómo quieren recorrer la ciudad?
   a. En autobús. b. A pie. c. En metro.
4. ¿Qué tienen que hacer para llegar a la Plaza de Armas desde el parque?
   a. Seguir recto. b. Doblar a la derecha. c. Cruzar la calle.
5. ¿Dónde está la oficina de turismo?
   a. Detrás del parque. b. Lejos de la ciudad. c. Al lado de la estación.

Nombre: .... **Fecha:** ....

31 ¿Cómo es mi ciudad ideal?

▶ **Habla.** In pairs, describe your ideal city. Tell what places there are in that city, where they are located and what is nearby, how you get there, what modes of transportation are available, what you can do there, etc.

Modelo

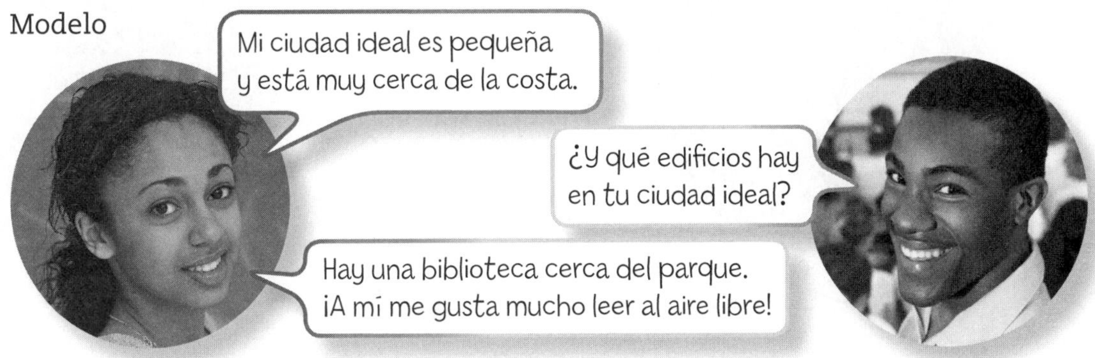

32 ¿Qué vamos a visitar?

▶ **Habla.** In small groups, take turns choosing departure and destination places on the map, and telling how you will travel and what you are going to visit there.

Modelo

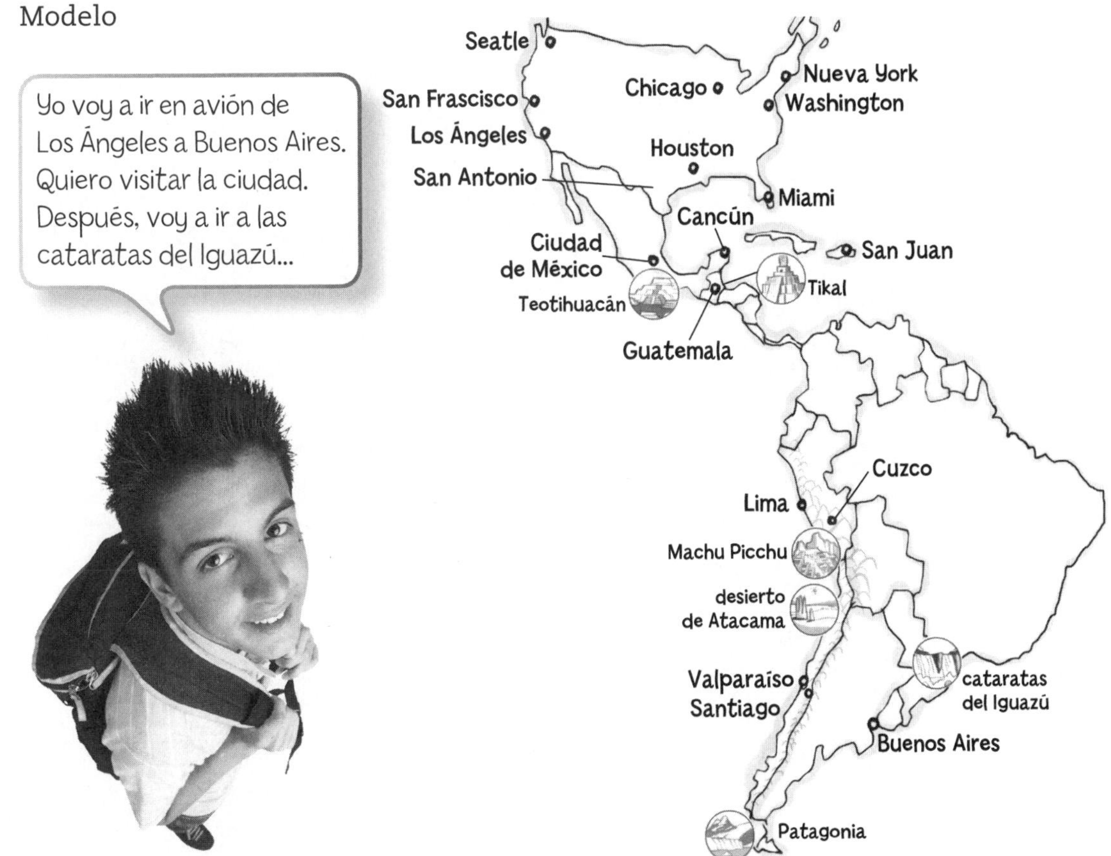

33 Direcciones

▶ **Habla.** In pairs, take turns asking and answering how to get to different places on the map.

Modelo

Nombre: .... **Fecha:** ....

EN TIERRAS MAYAS

1 ¡Así es Centroamérica!

▶ **Escucha** la información sobre Centroamérica y marca los elementos culturales mencionados.

☐ Rincón de la Vieja	☐ el canal de Panamá	☐ la gigantona
☐ el lago de Atitlán	☐ la catedral de Managua	☐ los garífunas
☐ las ruinas de Copán	☐ Rubén Darío	☐ *Popol Vuh*

▶ **Escucha** otra vez y escribe el nombre del lugar o el elemento cultural de Centroamérica representado en cada fotografía.

1

____

3

____

2

____

4

____

▶ **Relaciona** cada elemento cultural de las imágenes con el país correspondiente.

a. Nicaragua	b. Panamá	c. Guatemala	d. Costa Rica

1. ________ 2. ________ 3. ________ 4. ________

2 ¡La entonación es importante!

▶ **Escucha** y repite las siguientes oraciones.

1. Mi familia se lleva muy bien.
2. ¿Tienes hermanos?
3. ¡Qué guapo es tu primo!
4. ¿Su apellido es García?
5. Mi padre lleva gafas.
6. ¡Los gigantes no existen!
7. El músico garífuna es de Honduras.
8. ¿Tu hermana está casada?
9. Mi hermana está casada.
10. ¡Qué linda es Centroamérica!

3 ¿Es una pregunta?

▶ **Escucha** y elige la oración que oyes en cada caso.

1. a. ¿Sus abuelos viven en Honduras?
   b. Sus abuelos viven en Honduras.
2. a. Silvia tiene el pelo muy largo.
   b. ¡Silvia tiene el pelo muy largo!
3. a. ¿La gente de tu país es generosa?
   b. La gente de tu país es generosa.
4. a. ¿La gigantona es una muñeca?
   b. ¡La gigantona es una muñeca!

4 Marcas de la entonación

▶ **Escucha** y escribe los signos de puntuación correctos en cada oración: interrogación [¿?], admiración [¡!] o punto [.].

1. Tu hermana está casada
2. El lago de Atitlán es mágico
3. Mis abuelos tienen veinte nietos

5 ¡Es fiesta!

▶ **Escucha** y repite el texto de la viñeta (*cartoon*) con la entonación adecuada.

Nombre: .... **Fecha:** ....

6 Relaciones

▶ **Escucha** y relaciona cada descripción con la imagen correspondiente.

1. ____
2. ____
3. ____
4. ____
5. ____

7 ¿Cómo se llevan?

▶ **Escucha.** ¿Qué relación hay entre estas personas? Completa las oraciones de la tabla e indica si se llevan bien o mal.

	Relaciones	Se llevan bien	Se llevan mal
1.	Jorge y Carmen están ____________.		
2.	Luis y Mario son ____________.		
3.	Emma es la ____________ de Lisa.		
4.	Olga es ____________ de Sara.		
5.	Manuel es el ____________ de Lola.		

8 La familia y los amigos de Pablo

▶ **Escucha** las descripciones de Pablo y elige la respuesta correcta.

1. Fabián y Gabriela ____________________.
   a. se llevan mal b. son hermanos c. están casados
2. Mar y José ____________________.
   a. son parientes b. están solteros c. son profesores
3. Alfredo es ____________________ de Pablo.
   a. el tío b. el hermano c. el abuelo
4. Karina es ____________________ de Pablo.
   a. la hermana b. la prima c. la madre
5. Lucas es ____________________.
   a. un bebé b. familia de Pablo c. un hombre casado
6. La ____________________ de Pablo vive en Nicaragua.
   a. tía b. madrina c. sobrina

9 ¿De quién son las cosas?

▶ **Escucha** las conversaciones y completa las oraciones con el posesivo apropiado.

Modelo *Me gustan sus zapatos.*

1. Esta es ____________________ mochila.
2. Vamos a comer en ____________________ casa.
3. Ese es ____________________ libro.
4. El perro es ____________________.
5. ¿El piano es ____________________?
6. Los vestidos son ____________________.

10 ¡Un poco de orden, por favor!

▶ **Escucha** el diálogo. ¿De quién es cada cosa? Elige la respuesta correcta.

1. La mochila roja es… a. de Alberto. b. de Marta.
2. La maleta pequeña es… a. de Tommy. b. de Inés.
3. Los tenis verdes son… a. de Ana. b. de Max.
4. La cámara de fotos es… a. de Miguel. b. de Carla.
5. Las gafas blancas son… a. de Andrea. b. de Daniel.

Nombre: .... **Fecha:** ....

11 Cosas de familia

▶ **Habla** con tu compañero(a) sobre algunas personas de su familia. Pregúntale cuál es su estado civil y qué tienen esas personas. Pregúntale también cómo se lleva con ellas. Luego, cambien de papel (*change roles*).

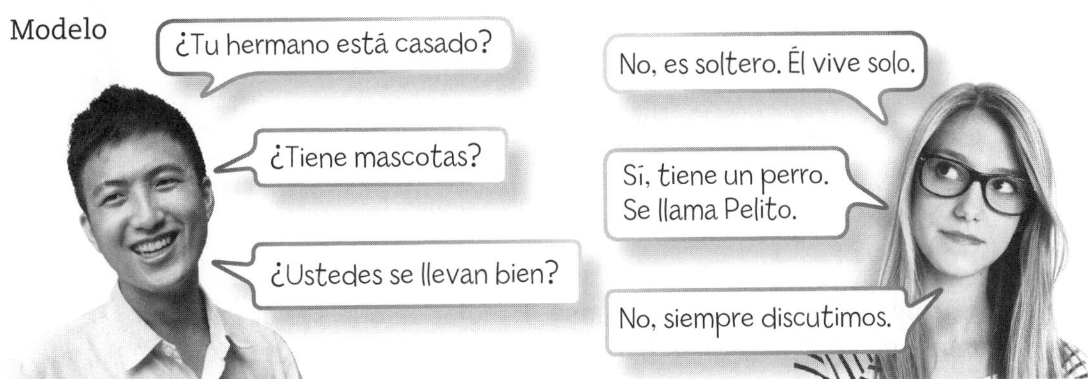

12 ¡Cuántos regalos!

▶ **Representa** con tu compañero(a) diálogos sobre sus regalos de cumpleaños. Usen las imágenes como guía y recuerden cambiar de papel (*change roles*).

13 Pertenencias

▶ **Habla** con tu compañero(a) sobre algunos objetos del salón de clase. Por turnos, pregunten de quién son y respondan usando pronombres posesivos. Habla de objetos tuyos y de tus compañeros.

Modelo

14 ¡Ah, es tuyo!

▶ **Habla** con tu compañero(a). Piensa de quién puede ser cada objeto y escribe el nombre de su dueño en la lista. Después, por turnos, pregunta y responde a tu compañero(a) utilizando posesivos. Sigan el modelo.

Modelo

¿De quién es la computadora?

Es de mi hermano y mía.

¡Ah, es suya!

1 4 7

2 5 8

3 6 9

1. ____________________
2. ____________________
3. ____________________
4. ____________________
5. ____________________
6. ____________________
7. ____________________
8. ____________________
9. ____________________

Nombre: .... **Fecha:** ....

15 ¿Cómo son?

▶ **Escucha** las descripciones y elige el adjetivo adecuado en cada caso.

1. a. rubia b. morena c. pelirroja
2. a. perezosa b. trabajadora c. gorda
3. a. bajo b. gordo c. delgado
4. a. impaciente b. popular c. antipático
5. a. generosa b. pesimista c. tacaña
6. a. altos b. espontáneos c. fuertes
7. a. tacaños b. pacientes c. creativos
8. a. gracioso b. calvo c. fuerte

16 Personas conocidas

▶ **Escucha** los diálogos y relaciona cada uno de ellos con la imagen correspondiente.

A

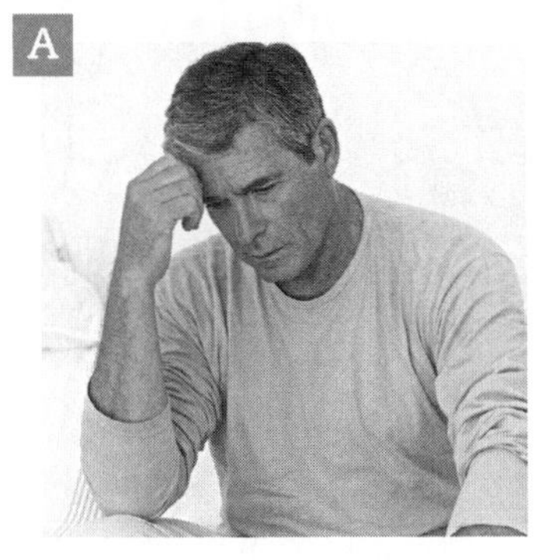

____

C

____

D

____

B

____

E

____

17 ¿De qué nacionalidad son?

▶ **Escucha** y elige la nacionalidad correspondiente a cada descripción. ¡Cuidado con la concordancia!

1. hondureño / hondureña
2. costarricense / costarricenses
3. salvadoreño / salvadoreñas
4. guatemalteca / guatemaltecos
5. nicaragüense / nicaragüenses
6. panameña / panameños

18 En la calle

▶ **Escucha** la descripción y escribe el nombre de cada personaje en el lugar correspondiente.

▶ **Escucha** otra vez. Luego, elige tres personajes del dibujo y escribe una oración para describir a cada uno de ellos.

1. Marta es Morena, alta, y delgada.
2. Elena es Baja y delgada, y tiene peli corto/rojo.
3. Julian es Alto y delgado, y tiene pelo blanco.

Nombre: .... **Fecha:** ....

19 Descripciones

▶ **Habla** con tu compañero(a) sobre las personas de las imágenes. Describe sus características físicas y sus rasgos de personalidad.

Modelo

20 Así somos

▶ **Habla** con tus compañeros(as) en pequeños grupos. Describan las características físicas y los rasgos de personalidad de cada persona del grupo. ¿Tienen características en común?

Modelo

21 Celebridades de Centroamérica

▶ **Habla** con tu compañero(a) sobre los famosos de las fotografías. Di cuál es la nacionalidad de cada uno y describe sus rasgos físicos y de personalidad.

Modelo

> Penélope Cruz es una actriz española.
> Es delgada y morena. Es simpática y bonita.

1

David Suazo
futbolista
Honduras

2

Gioconda Belli
escritora
Nicaragua

3

Rigoberta Menchú
Premio Nobel de la Paz
Guatemala

4

Rubén Blades
músico
Panamá

5

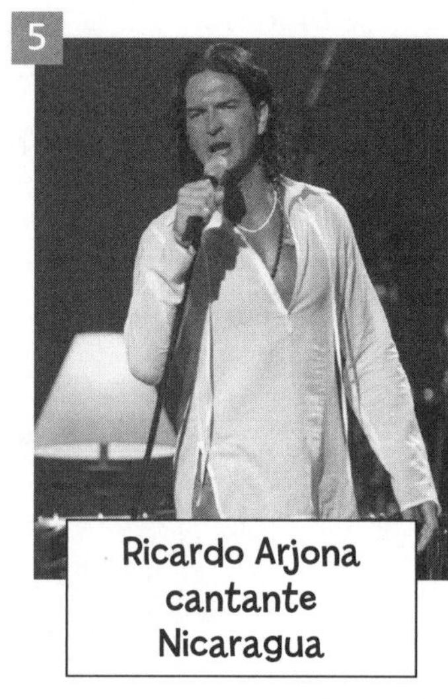

Ricardo Arjona
cantante
Nicaragua

6

Franklin Chang Díaz
astronauta
Costa Rica

22 Tus favoritos

▶ **Habla** con tu compañero(a) sobre sus famosos preferidos. Elige tres, di cuál es su nacionalidad y descríbelos. ¿Por qué son tus favoritos?

Modelo

> Mi cantante favorita es Christina Aguilera. Es estadounidense.
> Su padre es ecuatoriano. Es rubia y delgada, y creo que es
> una persona inteligente. Me gusta porque canta muy bien.

Escucho español

Nombre: .... **Fecha:** ....

23 ¿Quién es quién?

▶ **Escucha** los diálogos y escribe el nombre de cada persona debajo de la imagen correspondiente.

24 ¿Cómo están?

▶ **Escucha** y elige la palabra apropiada para completar cada oración.

1. La madrina de Laura está ______________.
   a. nerviosa b. aburrida c. enojada
2. El padre de los chicos está ______________.
   a. emocionado b. confundido c. celoso
3. Los padres de Carmen están ______________.
   a. enamorados b. contentos c. enojados
4. Emma está ______________.
   a. emocionada b. furiosa c. aburrida
5. Los señores Estévez están ______________.
   a. confundidos b. emocionados c. sorprendidos

25 Comparaciones

▶ **Escucha** las comparaciones e identifica a las personas de las imágenes. Escribe el nombre de cada persona en su lugar.

▶ **Escribe** ahora otra comparación para cada imagen.

1. ____________________
2. ____________________
3. ____________________
4. ____________________

26 ¡Buenísimo!

▶ **Escucha** los comentarios de algunas personas sobre sus familiares o amigos y escribe el superlativo correcto para cada oración. ¡Cuidado con la concordancia!

1. ____________________
2. ____________________
3. ____________________
4. ____________________
5. ____________________
6. ____________________

Nombre: .... **Fecha:** ....

27 Así me siento

▶ **Habla** con tu compañero(a) sobre cómo se sienten en las situaciones de las imágenes.

Modelo

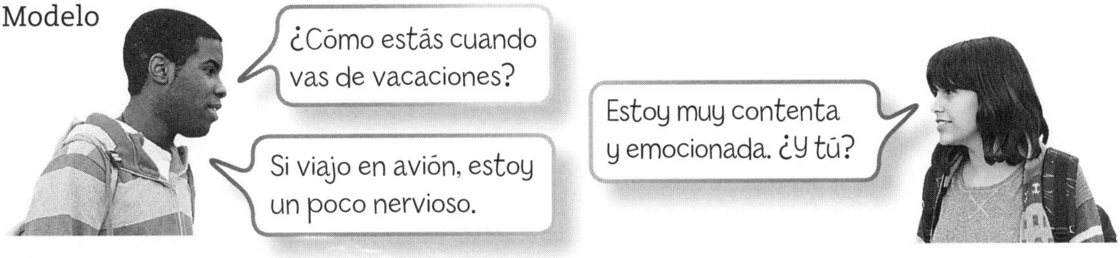

¿Cómo estás cuando vas de vacaciones?

Estoy muy contenta y emocionada. ¿Y tú?

Si viajo en avión, estoy un poco nervioso.

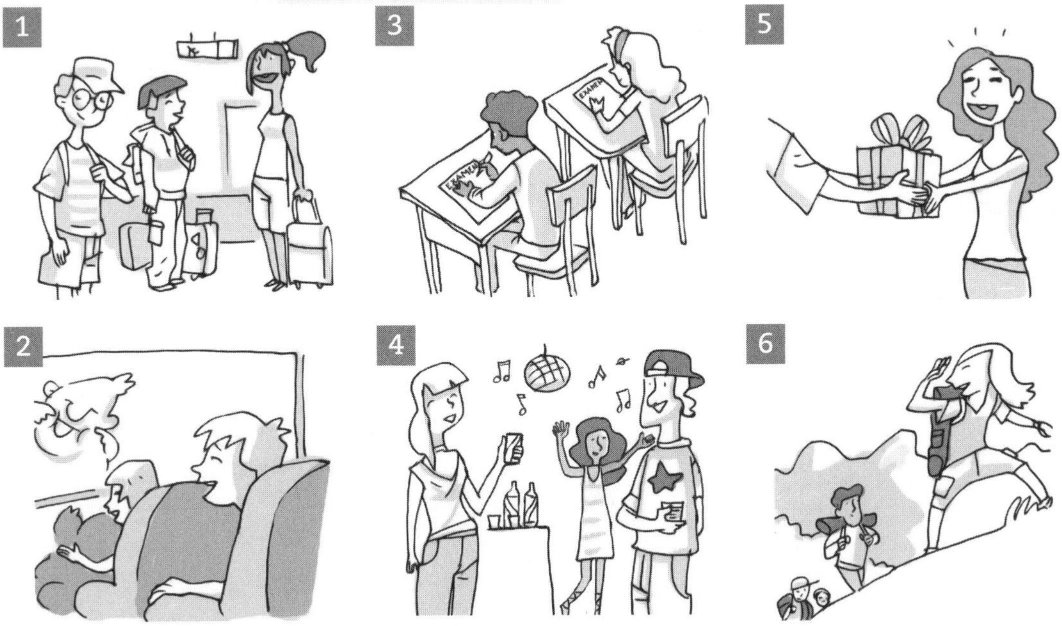

1

3

5

2

4

6

28 ¿Hacemos planes?

▶ **Representa** un diálogo con dos compañeros(as). Quieren hacer cosas juntos(as), pero no se ponen de acuerdo (*cannot agree*). ¡No se rindan! (*don't give up!*).

Modelo

29 Comparaciones

▶ **Habla** con tu compañero(a). Piensen en algunas personas y comparen cómo creen que se sienten hoy. Puedes hablar de otros compañeros(as) de clase, de tu familia o de personas famosas.

Modelo

Creo que hoy Analía está más cansada que Darío.

30 Opiniones

▶ **Habla** con tu compañero(a) ¿Cómo se sienten las siguientes personas en cada situación? Usen los adjetivos del recuadro y comparen sus opiniones. Utilicen comparativos y superlativos.

Modelo

Meryl Streep está muy nerviosa la noche de los Oscar.

¿Cómo se sienten?

1. Un actor o una actriz la noche de los Oscar.
2. Tu atleta preferido(a) cuando gana.
3. Tus padres si no sacas buenas notas en la escuela.
4. Tú el día de tu cumpleaños.
5. Tu mejor amigo(a) si discutes con él/ella.
6. El novio y la novia el día de su boda.
7. Tú de vacaciones en la montaña.

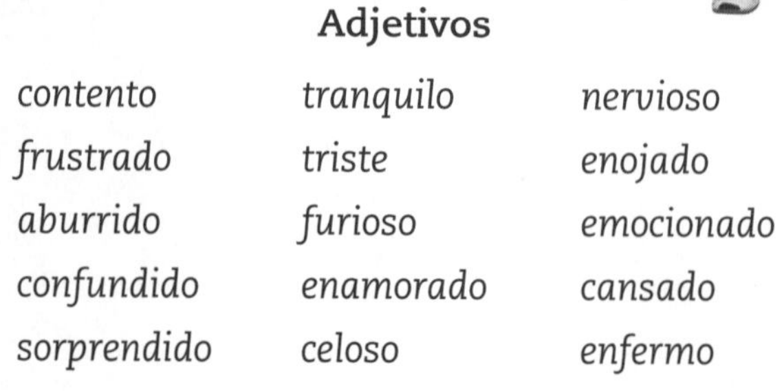

Adjetivos

contento	*tranquilo*	*nervioso*
frustrado	*triste*	*enojado*
aburrido	*furioso*	*emocionado*
confundido	*enamorado*	*cansado*
sorprendido	*celoso*	*enfermo*

Escucho español

Nombre: .... **Fecha:** ....

31 Algunos datos

▶ **Escucha** y marca con una X en la tabla la información que da cada persona.

	NOMBRE	APELLIDO	EDAD	DIRECCIÓN	TELÉFONO	ESTADO CIVIL
1.						
2.						
3.						
4.						
5.						

▶ **Escucha** de nuevo y responde a estas preguntas.

1. ¿De dónde es Jorge?

   ____

2. ¿Dónde está la consulta del doctor Pérez?

   ____

3. ¿Cuál es el teléfono de la oficina de arquitectos?

   ____

4. ¿Quién vive en la calle Puerto Viejo, número 384?

   ____

32 Campamento de verano

▶ **Escucha** el mensaje de Arturo y completa esta hoja de inscripción con sus datos.

LOS ROBLES

HOJA DE INSCRIPCIÓN

Nombre(s): ____________ Apellido(s): ____________

País de origen: ____________ Edad: ____________

Dirección: ____________ Ciudad: ____________

Estado: ____________ País: ____________

Teléfono de casa: ____________ Celular: ____________

33 Información personal

▶ **Escucha** el mensaje de Carla e indica si estas afirmaciones son ciertas (C) o falsas (F). Si la afirmación es cierta, escribe la información sobre Carla.

1. Carla dice su nombre y sus apellidos. C F

____

2. Carla dice su dirección. C F

____

3. Carla dice su estado civil. C F

____

4. Carla dice su número de teléfono. C F

____

5. Carla dice cuál es su país de origen y su ciudad. C F

____

34 Me llamo Humberto

▶ **Escucha** a Humberto y responde a las siguientes preguntas con oraciones completas.

1. ¿De dónde es Humberto?

____

2. ¿Dónde viven Humberto y su familia?

____

3. ¿Dónde trabaja el padre de Humberto?

____

4. ¿Por qué la madre de Humberto toma el autobús todos los días?

____

5. ¿Quién es Damián Lamas? ¿De dónde es?

____

6. ¿Qué clases le gustan mucho a Humberto?

____

Nombre: .... **Fecha:** ....

35 Entrevista

▶ **Habla** con tu compañero(a). Usa la ficha (*card*) para hacerle preguntas y escribe en ella sus respuestas. Él/ella debe responder con oraciones completas.

Modelo

¿Adónde te gusta ir en tu tiempo libre?

Me gusta ir al cine y al centro de la ciudad.

Nombre: ____________ Apellido: ____________

Edad: ____________ Fecha de nacimiento: ____________

País de origen: ____________ Dirección: ____________

Ciudad: ____________ Estado: ____________ Teléfono: ____________

Lugares preferidos: ____________

36 Famosos

▶ **Representa** con tu compañero(a) una entrevista a las personas de los dibujos. Imaginen que son personas famosas e inventen la información. ¡Sean creativos!

Modelo

37 Cara a cara

▶ **Habla** con tu compañero(a). Hazle preguntas sobre los temas del recuadro. Tu compañero(a) debe contestar con oraciones completas.

Modelo

- lugar favorito para ir de vacaciones
- mejores amigos
- pasatiempos preferidos
- país de origen de los padres
- país de origen de los abuelos
- personas que viven en la misma casa
- hora de comer
- música que escucha

38 Información incompleta

▶ **Pregunta** a tu compañero(a) sobre sus planes. Usa los interrogativos apropiados.

Modelo

Nombre: .... **Fecha:** ....

39 Gente

▶ **Escucha** las descripciones y escribe el nombre de cada persona debajo de la fotografía correspondiente.

A

____

C
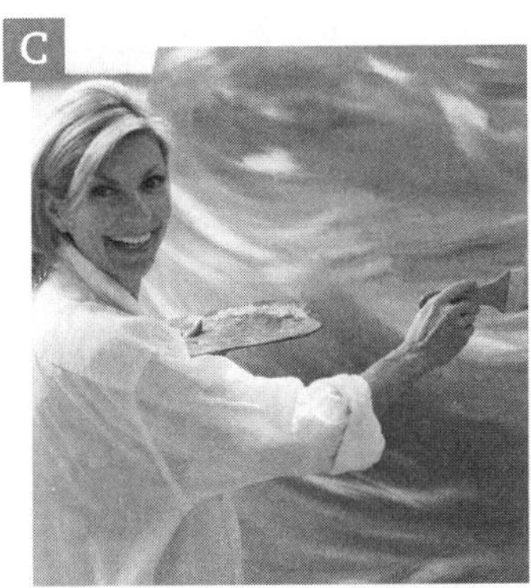

____

E

____

B

____

D

____

F

____

40 La familia de Fernando

▶ **Escucha** las pistas (*clues*) de Fernando sobre su familia. ¿De quién habla? Escribe los nombres de estas personas, su relación con Fernando y cuál crees que es su estado de ánimo.

1. José Álvarez es su tío y está muy contento.
2. ______________
3. ______________
4. ______________
5. ______________
6. ______________

41 Somos diferentes

▶ **Escucha** y relaciona cada comparación con la imagen correspondiente.

1. ______
2. ______
3. ______
4. ______
5. ______
6. ______

42 Buenos estudiantes

▶ **Escucha** a Raúl, un estudiante de la escuela superior, y responde a las preguntas con oraciones completas.

1. ¿Cuántos años tiene Raúl Suárez?

______

2. ¿Dónde vive Raúl?

______

3. ¿Cómo está Raúl? ¿Por qué?

______

4. ¿Quién es Aldo?

______

5. ¿De dónde es Aldo? ¿Y sus padres?

______

Nombre: .... **Fecha:** ....

43 ¿De quién es?

▶ **Habla** con tu compañero(a) sobre los objetos y las personas del dibujo. Por turnos, elijan un objeto, pregunten de quién es y respondan adecuadamente. Confirmen su respuesta usando el posesivo correcto, como en el modelo.

Modelo

¿De quién es la bicicleta?

Es de la señora rubia. Sí, es suya.

44 ¿Son parecidos?

▶ **Habla** con dos compañeros(as). Cada uno describe a tres de sus amigos. Hablen de sus características físicas y de sus rasgos de personalidad. Hagan comparaciones, como en el modelo.

Modelo

45 Para todos los gustos

▶ **Habla** con tu compañero(a). Compara a las personas de las fotografías. Usa también superlativos.

Modelo

Arturo es más guapo que Javier.

No. ¡Javier es guapísimo!

1

Amelia

3

Ana Cristina

5

Jorge

2

Gabi Carlos

4

Zulema

6

Laura Ernesto

46 ¿Puedo hacerte una pregunta?

▶ **Habla** con tres compañeros(as). Hazles preguntas para descubrir algo nuevo sobre ellos. Usa los interrogativos de las cajas (*boxes*).

Modelo

¿Adónde vas hoy después de la escuela?

¿Qué? ¿Cuál? ¿Quién? ¿Cuánto? ¿Cuántos? ¿Dónde?

¿Cuándo? ¿Cómo? ¿Por qué? ¿Para qué? ¿Adónde? ¿De dónde?

Nombre: .... **Fecha:** ....

POR LAS ISLAS DEL CARIBE

1 Tres países del Caribe

▶ **Escucha** la información sobre las Antillas e indica si estas afirmaciones son ciertas (C) o falsas (F).

1. Las Antillas tienen una naturaleza y una cultura muy ricas.	C	F
2. En Santo Domingo no hay monumentos españoles.	C	F
3. En San Juan hay casas coloniales de colores.	C	F
4. En el pasado hubo piratas en el Caribe.	C	F
5. A los caribeños no les gusta la música.	C	F

▶ **Escucha** otra vez y completa las siguientes oraciones.

1. Muchas ciudades de Cuba, República Dominicana y Puerto Rico tienen origen español y en ellas hay ______________________.
2. Por su historia, hay muchas fortalezas defensivas en estas islas. Uno de los principales monumentos de Santo Domingo es ______________________.
3. ______________________ tiene su origen en Cuba, pero es un ritmo muy popular en todo el mundo.

▶ **Escribe** ahora debajo de cada fotografía el nombre del elemento cultural o monumento representado y el de la isla correspondiente.

1

____
____

2

____
____

3

____
____

2 La *a* y la *e*

▶ **Escucha** y repite las palabras. Escucha otra vez y completa las palabras con las vocales correctas.

1. c__s__
2. s__l__
3. m__d__r__
4. d__sp__ns__
5. __mb__r
6. pl__nch__
7. d__sc__rg__r
8. l__mp__r__
9. m__s__
10. c__m__

3 Diferentes

▶ **Escucha** y repite las palabras. Escucha otra vez y elige la palabra que oyes.

1. para / pera
2. papa / Pepa
3. rama / rema
4. pana / pena
5. bebe / vive
6. mesa / misa
7. dejo / dijo
8. queso / quiso
9. oye / huye
10. loto / luto
11. corso / curso
12. rosa / rusa

4 Palabras

▶ **Escribe** en cada columna tres palabras. Cada palabra debe llevar la vocal de la columna como letra inicial o en la primera sílaba. Después, léelas en voz alta a tus compañeros(as).

a	e	i	o	u

5 Vamos a cantar

▶ **Escucha** y repite la letra de esta canción popular. ¡Apréndela de memoria!

Cucú, cantaba la rana,
cucú, debajo del agua;
cucú, pasó un caballero,
cucú, con capa y sombrero;
cucú, pasó una señora,
cucú, con faldas de cola.

Nombre: .... **Fecha:** ....

6 Casa nueva

▶ **Escucha** a Ariel Flores y numera las imágenes. Después, escribe el nombre de cada parte de la casa debajo de su fotografía.

☐ 
____

☐ 
____

☐ 

____

☐ 
____

☐ 
____

1 
el jardín

7 ¡Bety no termina de hablar!

▶ **Escucha** a Bety y elige la opción más apropiada para completar cada oración.

1. a. el lavaplatos b. la despensa c. el comedor
2. a. la chimenea b. el sótano c. el baño
3. a. el tejado b. el pasillo c. el balcón
4. a. el balcón b. el desván c. el sótano
5. a. la chimenea b. el garaje c. la despensa

8 Tareas domésticas en familia

▶ **Escucha** a la señora Mendía hablando con sus hijos. ¿Quién está en cada parte de la casa? Escribe el nombre de cada persona debajo de la imagen correspondiente.

A

____

C

____

B

____

D

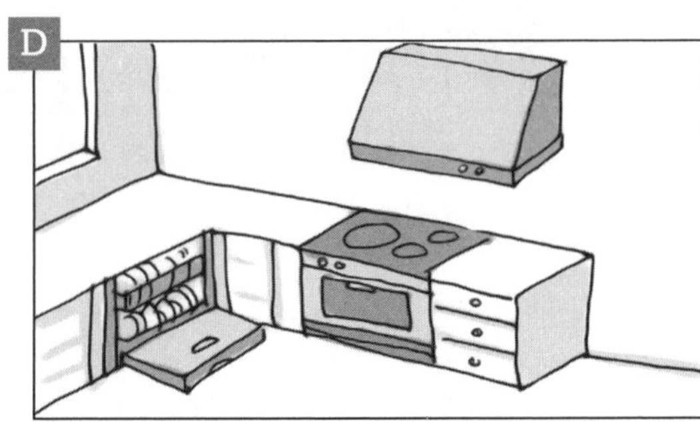

____

▶ **Escucha** otra vez y escribe qué está haciendo cada persona.

1. Mónica ______________________
2. La señora Mendía ______________________
3. Alicia ______________________
4. Marcelo ______________________

9 En casa de la familia Guerra

▶ **Escucha** a Mario Guerra e indica si las siguientes afirmaciones son ciertas (C) o falsas (F).

1. El señor Guerra está ordenando el garaje. C F
2. Laura está limpiando en el balcón. C F
3. La señora Guerra está sacudiendo el polvo en la sala. C F
4. Yamila está jugando en el jardín. C F
5. Mario está poniendo los libros en el sótano. C F

Nombre: .... **Fecha:** ....

10 ¿Qué están haciendo?

▶ **Habla** con tu compañero(a). Por turnos, pregunten y respondan qué están haciendo estas personas. Usen los verbos del recuadro.

cargar	*colocar*	*dormir*	*escuchar*	*hablar*
lavar	*leer*	*pasear*	*sacudir*	*servir*

11 Todos están ocupados

▶ **Representa** con tu compañero(a) una conversación telefónica entre dos amigos(as). Pregunten y respondan que están haciendo el/la compañero(a) y cada miembro de su familia. Usen el presente continuo.

Modelo

12 Ahora mismo

▶ **Habla** con tu compañero(a). Por turnos, digan qué está haciendo cada persona del dibujo.

▶ **Dibuja** ahora algunas personas más y pregunta a tu compañero(a) qué esta haciendo cada una de ellas.

Nombre: .... **Fecha:** ....

13 ¿Dónde está?

▶ **Escucha** a los señores Martínez e identifica los muebles y objetos de la casa mencionados en las imágenes.

A
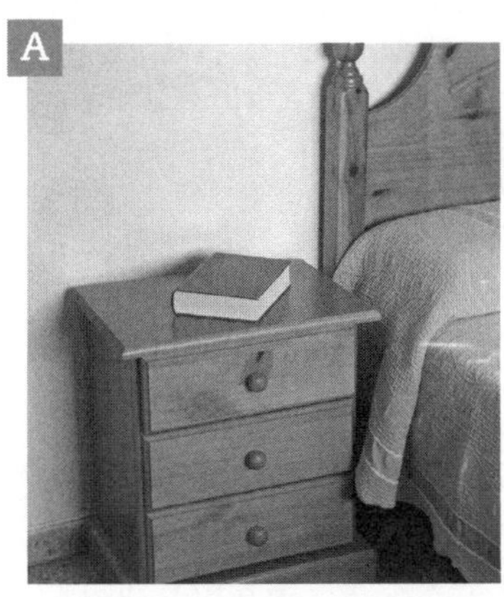

C

E
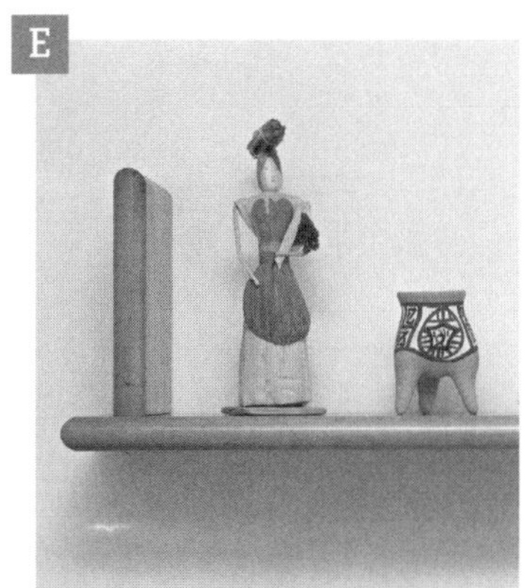

B
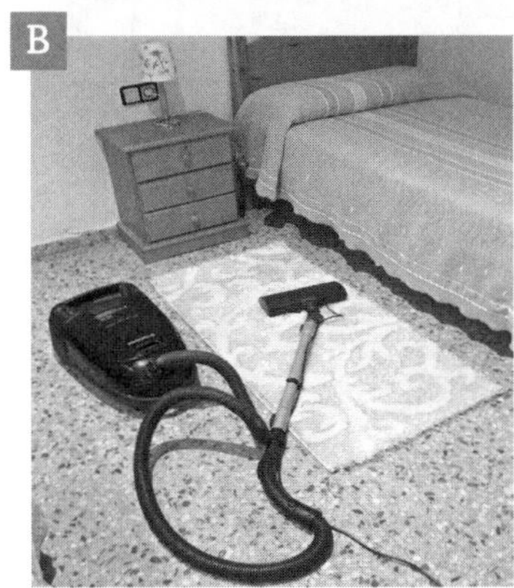

D

F

1. ____________
2. ____________
3. ____________
4. ____________
5. ____________
6. ____________

14 El apartamento de Inés

▶ **Escucha** la descripción del apartamento de Inés y escribe el nombre de los muebles y objetos mencionados en el lugar correspondiente de la tabla.

SALA	DORMITORIO

15 Cosas de casa

▶ **Escucha** las pistas de Patricia y relaciona los objetos de su casa con las imagenes. Escribe el número de la oración y el nombre de cada objeto debajo de su dibujo.

16 De viaje

▶ **Escucha** los mensajes de Pablo a su amigo y responde a las preguntas.

Modelo *¿Dónde está pasando Pablo sus vacaciones?*
Las está pasando en las Antillas.

1. ¿Dónde tiene el equipaje Pablo?

2. ¿Dónde está comprando unos cuadros muy bonitos?

3. ¿Dónde está leyendo unos libros sobre el pirata Drake?

4. ¿Dónde está viendo la bandera dominicana?

5. ¿Dónde está viendo un mosquito de 200 millones de años?

Nombre: .... **Fecha:** ....

17 ¿Qué hay?

▶ **Habla** con tu compañero(a). Por turnos, pregunten y respondan qué muebles y objetos hay en estas habitaciones.

Modelo

¿Hay alfombras?

1

Sí, hay una alfombra en la sala y dos en el dormitorio.

2

18 ¿Y en tu casa?

▶ **Habla** con tu compañero(a) sobre muebles y objetos de sus casas. Por turnos, pregunten y respondan qué y dónde los tienen.

Modelo

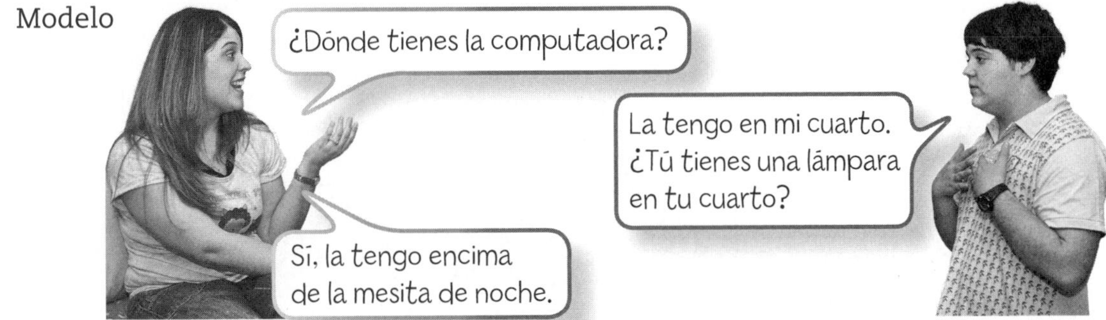

19 Casa nueva

▶ **Habla** con tu compañero(a). Por turnos, digan qué muebles y objetos necesitan en su nueva casa. Pregunten también dónde los van a colocar y dibujen cada objeto en su lugar.

Modelo

Escucho español

Nombre: .... Fecha: ....

20 ¿Qué necesitan?

▶ **Escucha** y descubre qué necesitan Ana y Rubén. Relaciona cada diálogo con una imagen.

A

____

D

____

C

____

B

____

E

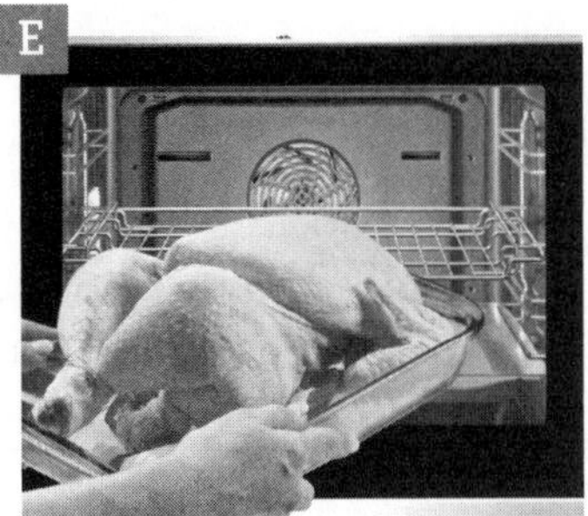

____

21 Antes de ir al cine

▶ **Escucha** a la madre de Ernesto y escribe el nombre del electrodoméstico relacionado con cada tarea.

1. ________________________
2. ________________________
3. ________________________
4. ________________________
5. ________________________

22 Actividades en Puerto Rico

▶ **Escucha** y elige un elemento de cada columna para formar las oraciones. Tú eres el protagonista

	A	B	C
1. Mi hermana y yo...	nos	preparamos la cena	a mi familia y a mí.
2. El señor Funes...	les	muestro fotos	a mi familia.
3. David...	le	invita a comer	a mi hermana.
4. Mis padres...	me	canta una canción	a nuestros padres.
5. Yo...	le	llevan al circo	a mí.

23 Cosas para todos

▶ **Escucha** a Juana y completa las oraciones con el pronombre correcto.

1. Yo ______ compro un florero a mi tía.
2. ______ regalo una lámpara a Luis y Mar.
3. Hoy ______ traen a mí un equipo de música.
4. Mis tíos ______ compran pizza a mis primos y a mí.
5. Mi hermano ______ prepara una cena a sus amigos.
6. Mi padre ______ regala flores a mi madre.

▶ **Escucha** de nuevo y, para cada comentario de Juana, marca en la tabla los pronombres correctos. Después, escribe la oración con los pronombres.

	ME LO	ME LA	SE LO	SE LA	SE LOS	SE LAS	NOS LA	NOS LO	NOS LOS
1.			✓						
2.									
3.									
4.									
5.									
6.									

1. Se lo compro.
2. ______
3. ______
4. ______
5. ______
6. ______

Nombre: .... **Fecha:** ....

24 Aparatos necesarios

▶ **Habla** con tu compañero(a). Por turnos, pregunten y respondan qué necesitan estas personas y para qué lo necesitan.

Modelo

25 ¿Cuándo lo usas?

▶ **Habla** con tu compañero(a) sobre los electrodomésticos de sus casas. Por turnos, pregunten y respondan si los usan y cuándo.

Modelo

¿Usas la lavadora?

No, yo no la uso nunca, pero mi mamá la usa casi todos los días.

26 Quehaceres de la casa

▶ **Habla** con tu compañero(a). Por turnos, pregunten y respondan. ¿A quién regalan estas personas los objetos de los dibujos?

Modelo

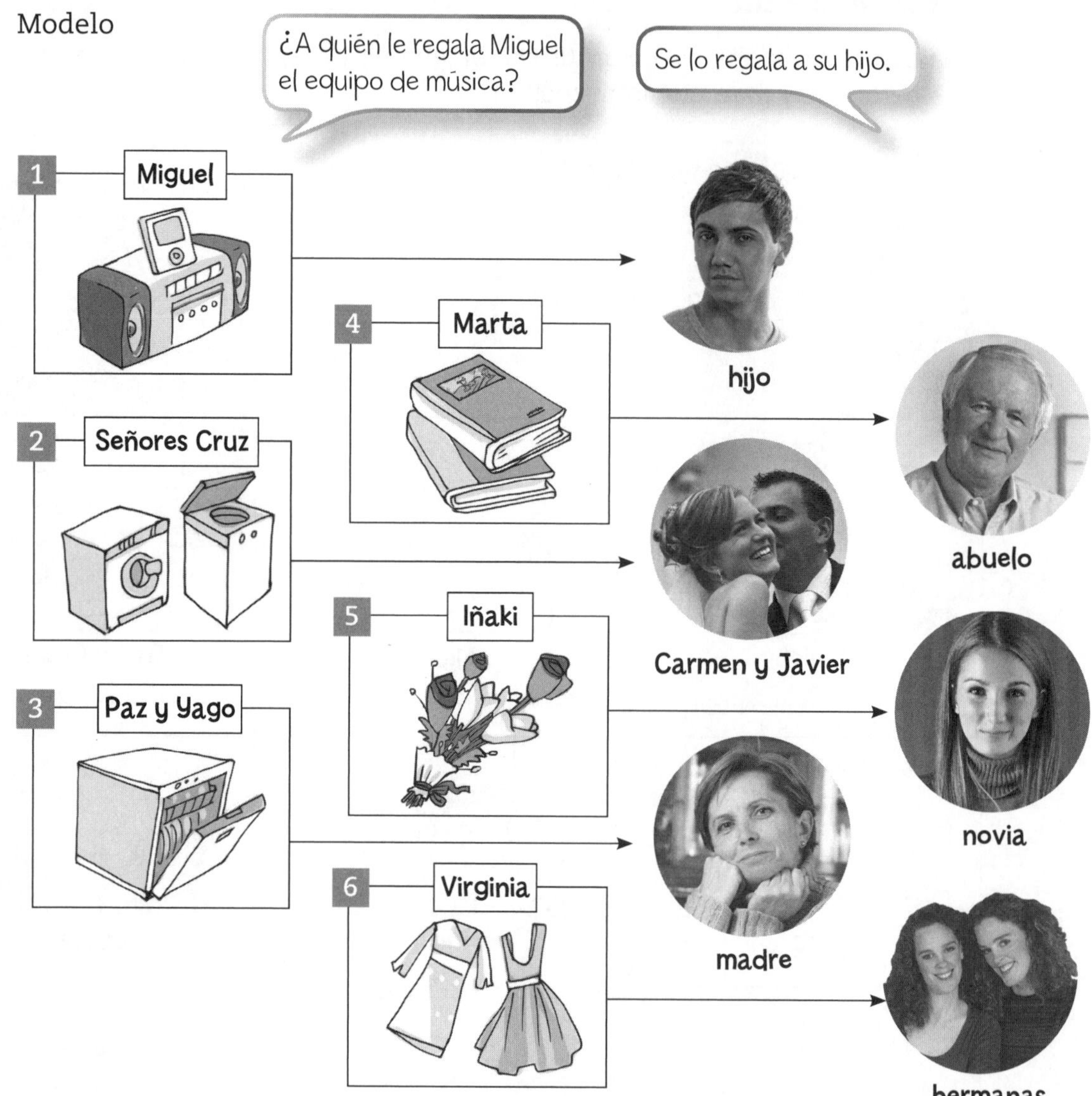

27 Regalos

▶ **Habla** con dos compañeros(as). Escribe el nombre de tres familiares o amigos y anota qué quieres regalarles. Luego, dile a tus compañeros(as) qué quieres regalar, a quién y por qué quieres regalarle eso.

Nombre: .... **Fecha:** ....

28 En el centro de San Juan

▶ **Escucha** a Andrés. Está en San Juan de Puerto Rico y nos dice qué ve y qué hace en el centro de la ciudad. Relaciona cada comentario con una imagen.

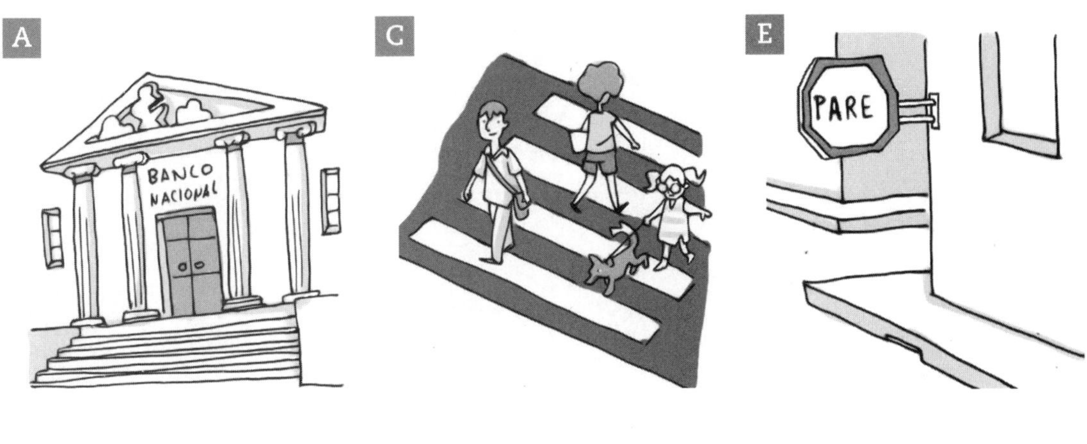

29 ¡Cuántos lugares!

▶ **Escucha** a Clara y escribe dónde está o adónde tiene que ir. Busca los nombres en el recuadro.

la oficina de correos	*el paso de cebra*	*la avenida*	*el banco*	*la iglesia*
la tienda de comestibles	*el zoológico*	*la biblioteca*	*el café*	*la acera*

1. ______________________ 4. ______________________

2. ______________________ 5. ______________________

3. ______________________ 6. ______________________

30 ¿Cerca o lejos?

▶ **Escucha** los diálogos y elige la imagen apropiada para cada uno de ellos.

1. ____________ A B

2. ____________ A B

3. ____________ A B

4. ____________ A B

31 ¿Qué quiere Mario?

▶ **Escucha** a Mario. Está en el centro de la ciudad. ¿Qué quiere comprar? ¿Adónde quiere ir? Elige la opción correcta.

1. a. Estos libros. b. Esos libros. c. Aquellos libros.
2. a. Este despertador. b. Ese despertador. c. Aquel despertador.
3. a. Esta alfombra. b. Esa alfombra. c. Aquella alfombra.
4. a. A este café. b. A ese café. c. A aquel café.
5. a. Estas sillas. b. Esas sillas. c. Aquellas sillas.

Nombre: .... **Fecha:** ....

32 ¿Quién es?

▶ **Habla** con tu compañero(a). Elige una persona del dibujo y di dónde está. Tu compañero(a) debe adivinar quién es. Para ello puede hacerte preguntas. No olviden cambiar de papel.

Modelo

▶ **Habla** con tu compañero(a) sobre el mismo dibujo. Por turnos, describan dónde están las personas, pero den información falsa. El/la compañero(a) debe corregirla.

Modelo

Patricia está en un café de la plaza. Está tomando un refresco.

¡No! Patricia está cruzando la avenida por un paso de cebra.

33 En la ciudad

▶ **Habla** con tu compañero(a). Describan esta fotografía desde lugares diferentes: uno está en la plaza y otro en la avenida principal. Usen los demostrativos correctos.

Modelo

34 Ahora en clase

▶ **Habla** con tus compañeros(as). Hagan preguntas o den instrucciones sobre objetos de la clase. Deben usar siempre un demostrativo.

Modelo

> ¿De quién es ese cuaderno, Víctor?

> Ese cuaderno es de Juan. ¿Quieres este lápiz, Silvia?

> No, gracias, no lo quiero. Prefiero aquel bolígrafo.

Nombre: .... **Fecha:** ....

35 ¿En qué parte de la casa?

▶ **Escucha** a la familia Torres y escribe. ¿En qué partes de la casa tiene que hacer cada uno sus tareas domésticas?

▶ **Escucha** otra vez y completa cada oración con un pronombre de objeto directo. Después, escribe a qué se refiere cada pronombre.

1. Liliana ___lo___ va a cargar con los platos sucios. → ___el lavaplatos___
2. Liliana ________ va a limpiar. → ________
3. Liliana ________ tiene que pasar por el pasillo y los dormitorios. → ________
4. Paolo ________ está ordenando. → ________
5. Nora ________ tiene que hacer. → ________

36 Pronombres dobles

▶ **Escucha** y relaciona los pronombres de la columna A con los verbos de la columna B para formar oraciones de acuerdo con las palabras de Irma.

Ⓐ	Ⓑ
Me las	queremos comprar.
Se lo	quiero comprar.
Te las	trae.
Nos los	voy a mostrar.
Se las	voy a comprar.

▶ **Escucha** otra vez y escribe ahora las oraciones completas indicando "qué» y "a quién".

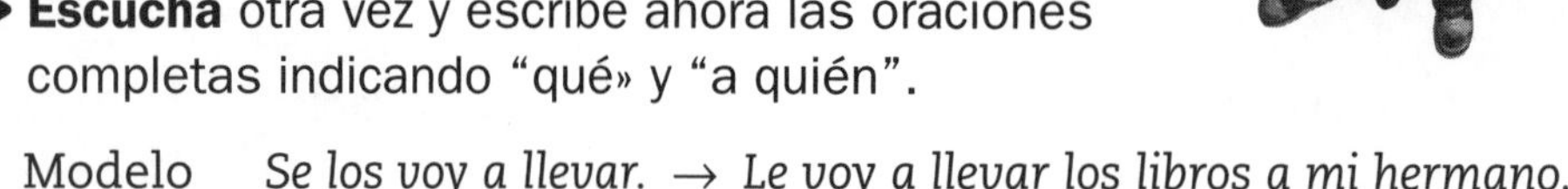

Modelo *Se los voy a llevar.* → *Le voy a llevar los libros a mi hermano.*

1. ______________________________

2. ______________________________

3. ______________________________

4. ______________________________

5. ______________________________

37 ¿Dónde está Silvio?

▶ **Escucha** a Silvio. Él habla de algunos objetos y lugares. Indica si están cerca, a media distancia o lejos de él, y escribe el nombre de los objetos y lugares mencionados con el demostrativo correspondiente.

	Cerca	A media distancia	Lejos
1.			✓ aquel café
2.			
3.			
4.			
5.			
6.			
7.			
8.			

Nombre: .... **Fecha:** ....

38 Tareas en cadena

▶ **Habla** con tus compañeros. Formen una cadena con las tareas domésticas representadas en las imágenes. Sigan el modelo y recuerden usar demostrativos.

Modelo

¿Puedes abrir esa ventana?

Sí, puedo abrirla, pero antes voy a sacar esta bolsa de basura al patio.

¿Puedes sacar tú esta bolsa de basura al patio?

Sí, puedo sacarla, pero antes...

1

4

7

2

5

8

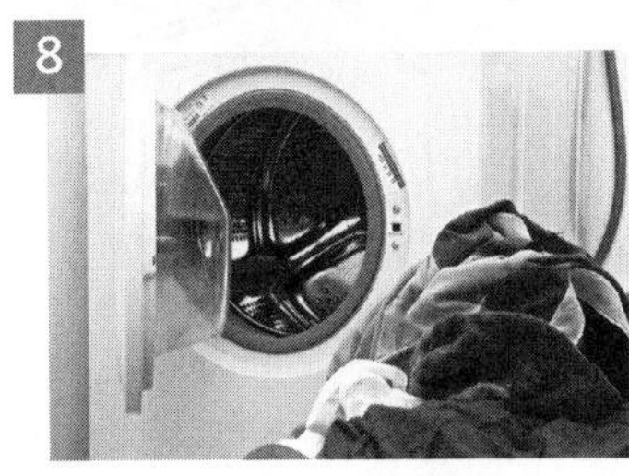

3

6

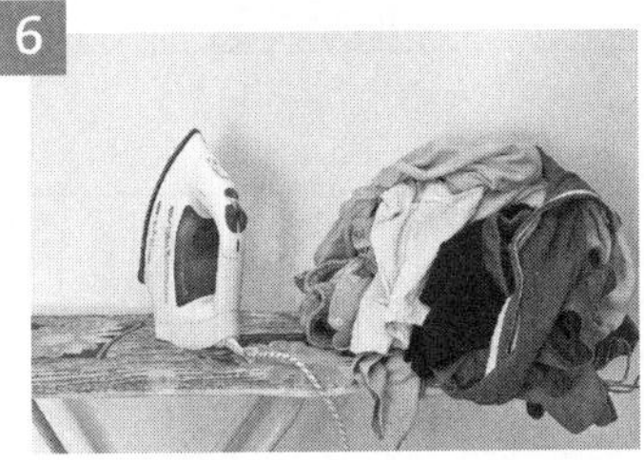

9

39 ¿Lo haces o no lo haces?

▶ **Habla** con tu compañero(a). Por turnos, pregunten qué tareas domésticas hacen en casa y respondan usando pronombres de objeto directo.

Modelo

¿Lavas los platos todos los días?

No, no los lavo todos los días.

40 Jugamos con los pronombres

▶ **Habla** y juega con tu compañero(a). Di una oración "misteriosa" con doble pronombre y tu compañero(a) tiene que inventar una situación y decir una oración completa correspondiente a la tuya.

Modelo

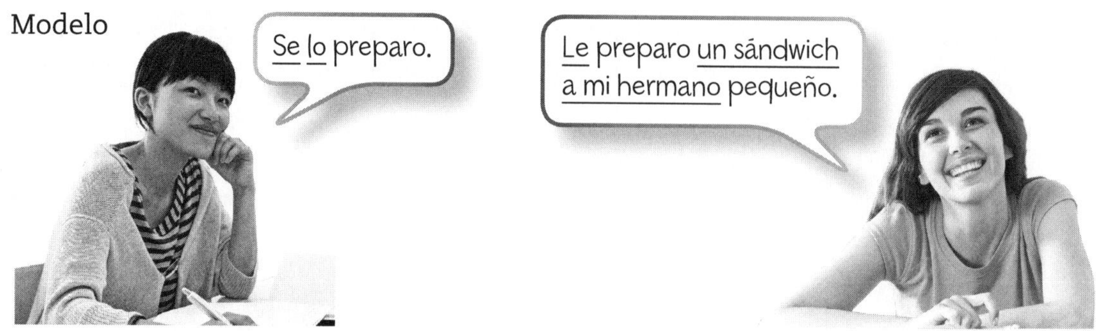

41 Casa ideal

▶ **Habla** con tu compañero(a). Por turnos, digan qué diferencias hay entre las dos viviendas.

Nombre: .... **Fecha:** ....

ENTRE LAS ALTAS MONTAÑAS

1 Tres países andinos

▶ **Escucha** la información sobre los Andes centrales y sitúa estas ciudades en el mapa.

Huancavelica	*Lima*	*Oruro*	*Potosí*	*Quito*	*Riobamba*

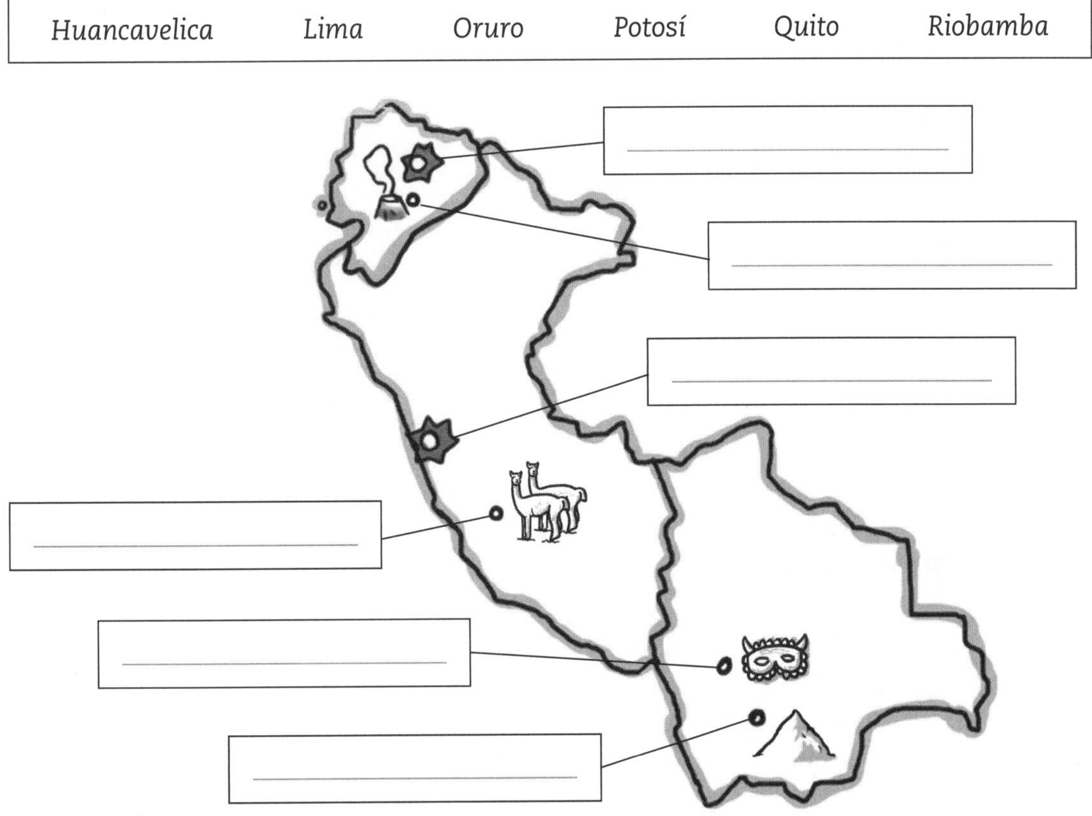

▶ **Escribe** qué representa cada fotografía.

1

____

2

____

2 Vocales unidas

▶ **Escucha** y repite las palabras.

▶ **Escucha** y marca las palabras que oyes. ¡Todas tienen diptongos!

Aprende

- Una sílaba es un grupo de sonidos que se pronuncian juntos.
- Dos vocales unidas en una sílaba forman un diptongo.

- ☐ ciudad
- ☐ viento
- ☐ ciencia
- ☐ familia
- ☐ hicieron
- ☐ cacahuete
- ☐ fuisteis
- ☐ Huancavelica
- ☐ averigua
- ☐ delicioso
- ☐ asociación
- ☐ siento

3 Diptongos

▶ **Escucha** y repite las palabras.

▶ **Escucha** otra vez y clasifica las palabras en las tablas según el diptongo que contienen.

-ai-	-ei-	-oi-	-ui-

-ia-	-ua-	-io-	-uo-

4 ¡Más diptongos!

▶ **Escucha** y elige la palabra que oyes.

1. miente / mente
2. Luisa / lisa
3. magia / maga
4. Rioja / roja
5. cuesta / costa
6. cuota / cota
7. tuerca / terca
8. huesos / esos
9. cuánta / canta
10. liana / lana
11. veinte / vente
12. sabéis / sabes

5 Trabalenguas

▶ **Escucha** y repite este trabalenguas. ¡Apréndelo de memoria!

Pepe Cuinto contó cientos de cuentos
y un chico dijo contento:
"¡Cuántos cuentos cuenta Cuinto!".

Nombre: .... **Fecha:** ....

6 De compras

▶ **Escucha** a Marisa Rosales. ¿Qué quiere comprar? Elige la opción correcta.

1.	a. un impermeable	b. un traje	c. unas joyas
2.	a. una falda	b. una sudadera	c. una corbata
3.	a. un traje de baño	b. una chaqueta	c. una bata
4.	a. unas gafas de sol	b. un pijama	c. un bolso
5.	a. un vestido	b. un abrigo	c. un reloj

7 Gente de Ecuador

▶ **Escucha** y relaciona cada descripción con la imagen correspondiente.

A

C

E

B

D

F

1. ____________
2. ____________
3. ____________
4. ____________
5. ____________
6. ____________

8 De viaje por Ecuador

▶ **Escucha** el diálogo. Andrea habla con Fran de su viaje a Ecuador. Luego, responde a las preguntas.

1. ¿Qué ropa llevó Andrea en su viaje a Ecuador?

____

2. ¿Qué compró la madre de Andrea?

____

3. ¿Dónde empezó Andrea su viaje por Ecuador?

____

4. ¿Qué otras ciudades ecuatorianas visitaron Andrea y su familia?

____

5. ¿Adónde subieron desde Riobamba?

____

9 Fotografías

▶ **Escucha** y escribe el nombre de cada persona debajo de su foto.

A

____

C

____

E

____

B

____

D

____

F

____

Nombre: .... **Fecha:** ....

10 ¿Quién lo hizo?

▶ **Habla** con tu compañero(a). Por turnos, pregunten y respondan qué personaje de los dibujos hizo cada actividad. No olviden conjugar los verbos en plural si es necesario.

Modelo

¿Quién pintó la fachada de la casa?

Francisco pintó la fachada de la casa.

1

2

11 Actividades pasadas

▶ **Habla** con tu compañero(a). Por turnos, pregunten y respondan si hicieron ciertas actividades ayer, la semana pasada o en sus últimas vacaciones. Usen los verbos del recuadro. ¡Sean creativos!

Modelo

¿Cantaste una canción de Christina Aguilera ayer?

No, ayer no canté una canción de Christina Aguilera, ¡pero canté una la semana pasada!

pasear	*cocinar*	*lavar*	*planchar*	*hablar*	*pintar*
arreglar	*limpiar*	*llevar*	*viajar*	*comprar*	*usar*

12 Uno por uno

▶ **Habla** con tu compañero(a). Por turnos, digan qué hicieron las personas de las imágenes. Deben conjugar los verbos en pretérito de acuerdo con el pronombre de cada fotografía.

13 Entrevista

▶ **Entrevista** a tu compañero(a). Utiliza estas preguntas y escribe tres preguntas más con verbos del recuadro. Tu compañero(a) debe responder con oraciones completas y luego te entrevista a ti.

visitar
comprar
almorzar
pasear
viajar

1. ¿Con quién hablaste por teléfono ayer?
2. ¿Qué cocinó tu mamá el domingo pasado?
3. ¿Qué ropa llevaste el sábado pasado?
4. ¿Qué canciones escuchaste recientemente?
5. ¿Qué lecciones estudiaste para hoy?
6. ____________________
7. ____________________
8. ____________________

Escucho español

Nombre: .... Fecha: ....

14 Descripciones

▶ **Escucha** a Lidia y a Bernardo. ¿Qué compraron? Relaciona cada descripción con la imagen correspondiente.

1. ______
2. ______
3. ______
4. ______
5. ______
6. ______

15 El viaje de Éric

▶ **Escucha** a Éric e indica si estas afirmaciones son ciertas (C) o falsas (F).

1. Éric va de vacaciones a Ecuador. C F
2. Él lleva un traje blanco en su maleta. C F
3. Éric lleva ropa de abrigo. C F
4. Éric quiere comprar ropa de lana en los Andes. C F
5. Él va a regalarle a su mujer una falda de colores. C F
6. Éric elige unos zapatos de color café para el viaje. C F

16 Experiencias en Perú

▶ **Escucha** las experiencias de algunas personas en su viaje a Perú. Luego, completa las oraciones conjugando el verbo correctamente.

1. David ______________ una carrera de llamas.
2. Judith y Graciela ______________ al Machu Picchu.
3. Esteban ______________ comida típica peruana.
4. Ustedes ______________ la historia de Huancavelica.
5. Nosotros ______________ la mochila en la montaña.

17 ¡Niños!

▶ **Escucha** a los señores Ortiz y escribe el nombre de sus hijos en el lugar correspondiente.

Nombre: .... **Fecha:** ....

18 Información personal

▶ **Habla** con tu compañero(a). Por turnos, pregunten y respondan sobre acciones del pasado. Luego, hagan más preguntas con los verbos del recuadro.

Modelo *comer / ayer (tú)* — ¿Qué comiste ayer? — Ayer comí pizza.

1. beber / en la cena (tú y tus padres)
2. ropa / elegir / para venir a la escuela anteayer (tú)
3. ver / en la televisión / anoche (tu mamá)
4. ver / en el cine / el mes pasado (tú y tus amigos)
5. escribir / en la última clase de Español (nosotros)

conocer
comer
salir
volver
ver

19 Historias

▶ **Habla** con tu compañero(a). Cuenten estas dos historias. Usen los verbos del recuadro.

buscar	*caminar*	*comer*	*comprar*	*correr*
encontrar	*llamar*	*mirar*	*oír*	*perder*
salir	*sentarse*	*venir*	*ver*	*volver*

1

2

20 Mis vacaciones

▶ **Habla** con tu compañero(a) sobre sus últimas vacaciones. Digan qué comieron, bebieron, oyeron, vieron y conocieron.

Modelo

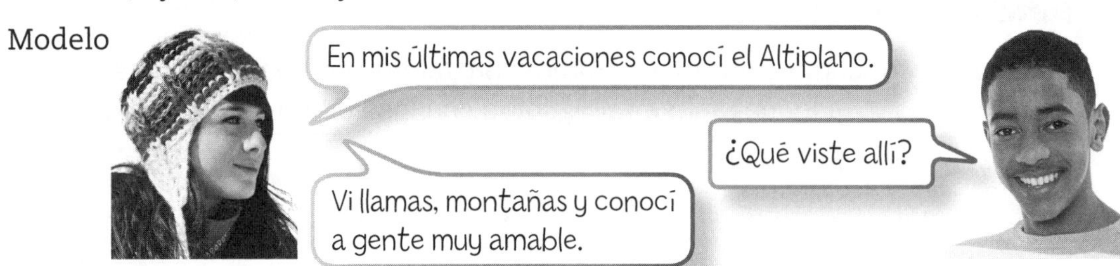

21 ¿Tú qué hiciste?

▶ **Habla** con tu compañero(a). Por turnos, digan qué hicieron en el pasado. Usen las imágenes como guía.

Modelo

El sábado compré unos jeans y unos tenis. ¿Y tú qué hiciste el sábado?

1

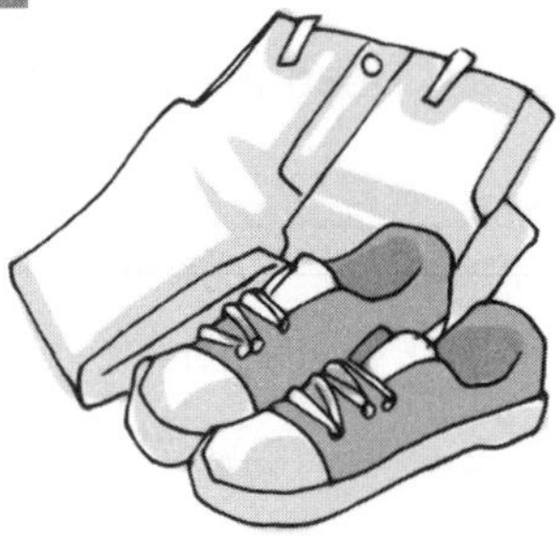

4

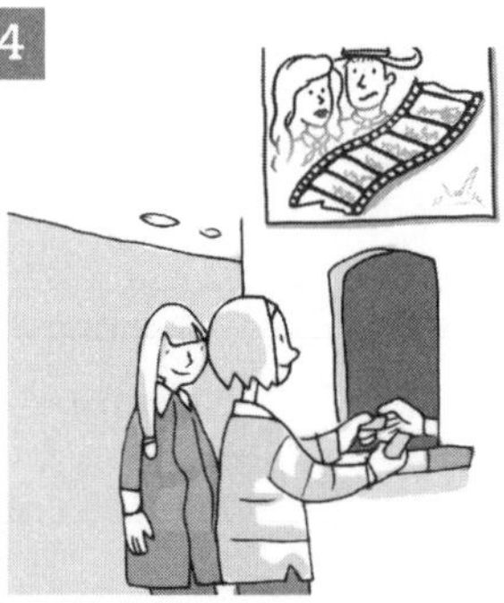

7

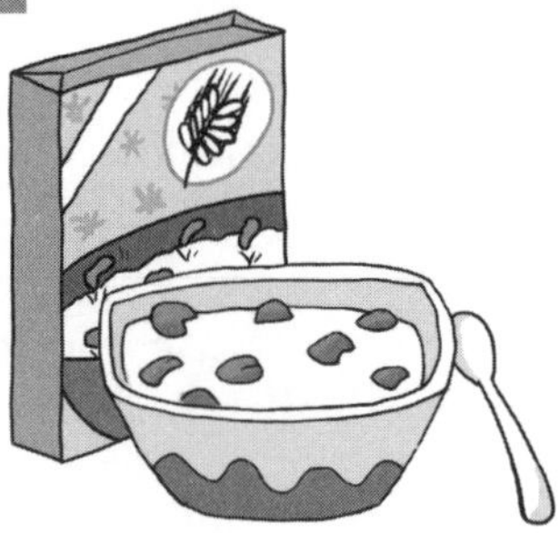

2

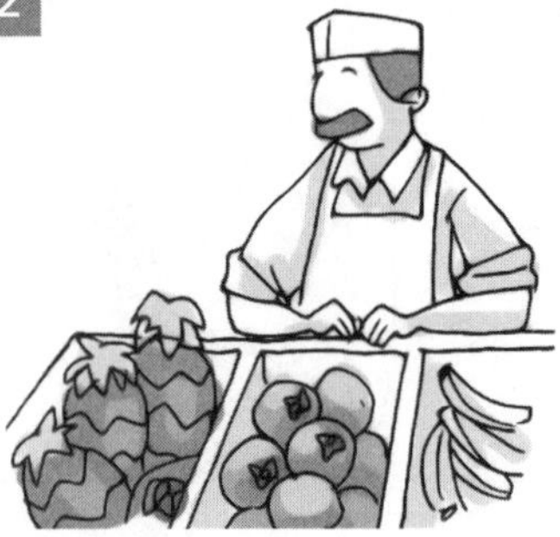

5

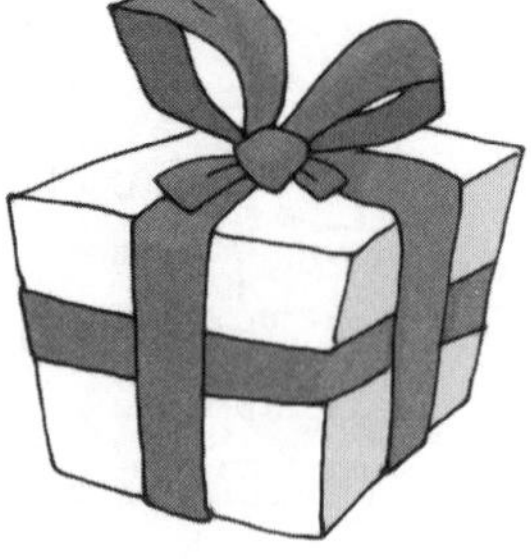

8

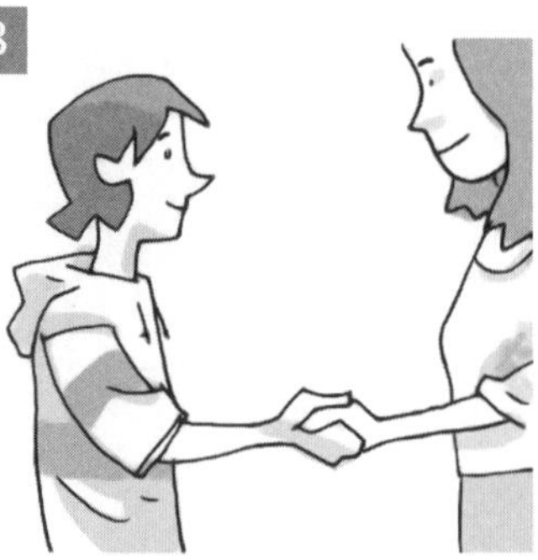

3

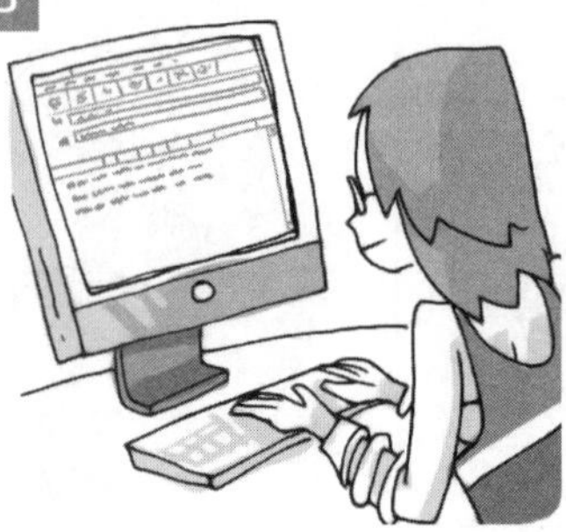

6

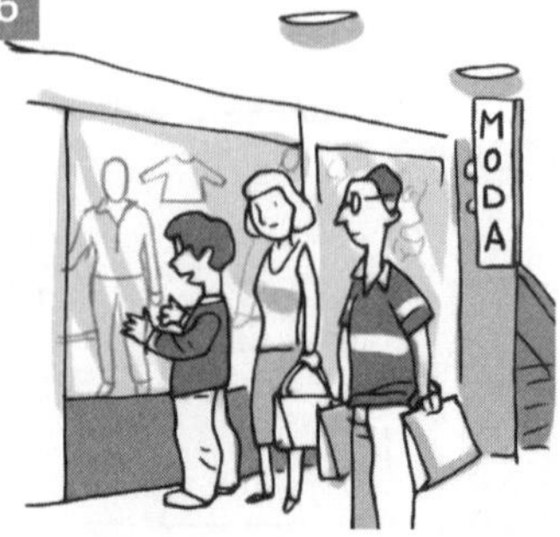

MODA

9

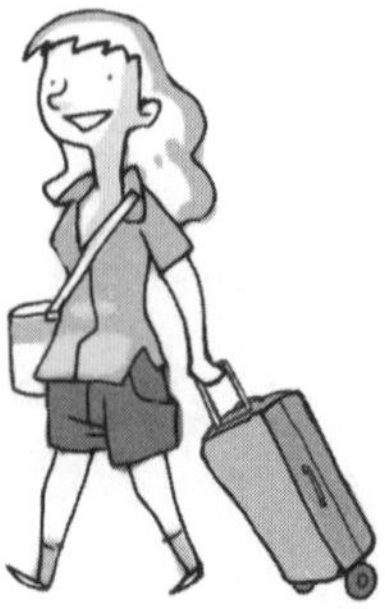

Nombre: .... **Fecha:** ....

22 Tiendas

▶ **Escucha** y escribe el nombre de cada persona debajo de la fotografía correspondiente.

A

____

C
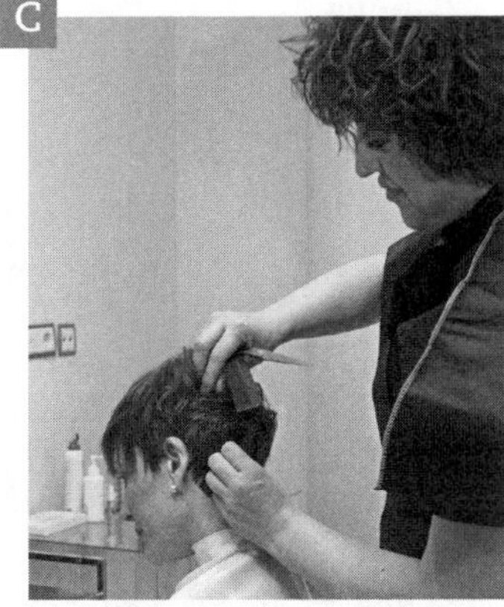
____

E

____

B

____

D

____

F

____

23 ¿Adónde van?

▶ **Escucha** a algunas personas de compras por Bolivia. ¿Adónde deben ir? Elige la opción correcta.

1. a. A la farmacia. b. A la zapatería. c. A la tienda de disfraces.
2. a. Al quiosco. b. A la peluquería. c. A la tienda de música.
3. a. A la papelería. b. A la tienda de música. c. A la tienda de ropa.
4. a. A la joyería. b. A la farmacia. c. A la perfumería.
5. a. A la librería. b. A la tienda de ropa. c. A la zapatería.

24 El fin de semana pasado

▶ **Escucha.** ¿Qué hicieron estas personas el fin de semana pasado? Relaciónalas con las fotografías apropiadas.

1. Mis padres ______
2. Yo ______
3. Gonzalo ______
4. Tú ______
5. Elvira ______
6. Ustedes ______

25 En Bolivia

▶ **Escucha.** Lorena cuenta qué hacen su familia y ella en Bolivia. Completa las oraciones usando el pretérito.

1. Olga fue nuestra guía en Bolivia.
2. Mis tíos ______________________ sobre el carnaval de Oruro.
3. Sara y yo ______________________ para vivir el carnaval.
4. En Oruro, yo ______________________ cada día.
5. Mis padres ______________________ con mis tíos.
6. Mi familia y yo ______________________ para volver a casa.

Nombre: .... **Fecha:** ....

26 Más información personal

▶ **Habla** con tu compañero(a). Hazle las siguientes preguntas. Él/ella debe responder con oraciones completas y luego te pregunta a ti.

1. ¿Adónde fuiste el viernes por la tarde?
2. ¿Hiciste la cama antes de venir a la escuela? ¿Qué desayunaste?
3. ¿Qué dijeron tus padres cuando les mostraste las notas de estos meses?
4. ¿En qué países estuviste?
5. ¿Qué tuviste que hacer ayer al llegar a tu casa?
6. ¿Estuviste en alguna montaña muy alta? ¿En cuál?
7. ¿Cuántos viajes hicieron tus padres el año pasado?
8. ¿Con quién fuiste de compras la última vez?
9. ¿Qué comida hicieron en tu casa ayer? ¿Quién la hizo?
10. ¿Qué le dijiste a tu mejor amigo(a) cuando hablaron por última vez?

27 Historias breves

▶ **Habla** con tu compañero(a). Inventen historias breves (*brief*) sobre los dibujos. Cuenten las historias en pasado.

1

3

2

4

28 En el centro comercial

▶ **Habla** con tu compañero(a). Expliquen qué hicieron las personas del dibujo. Por turnos, hagan preguntas y respondan, como en el modelo.

Modelo

29 Celebraciones

▶ **Habla** con dos compañeros(as). Cuenten adónde fueron y cómo celebraron su último cumpleaños. Digan qué hicieron sus amigos y sus parientes en esa ocasión. Luego, pueden hablar de otras celebraciones.

Modelo

Yo fui a celebrar mi cumpleaños a un restaurante peruano. Mi hermano cantó una canción para mí.

Nombre: .... **Fecha:** ....

30 En la tienda de ropa

▶ **Escucha** las preguntas y escribe las respuestas de acuerdo con las imágenes.

1

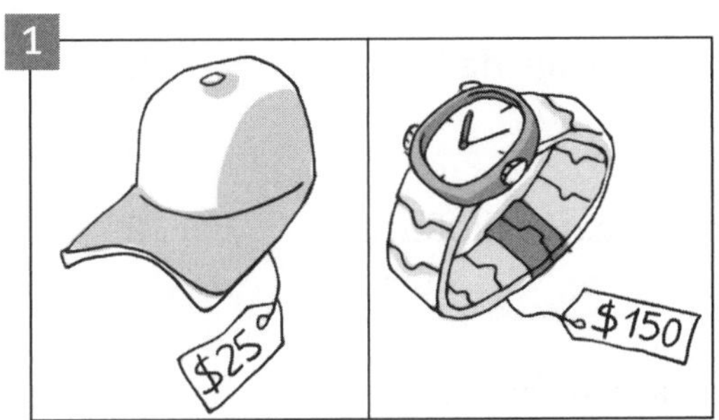

2

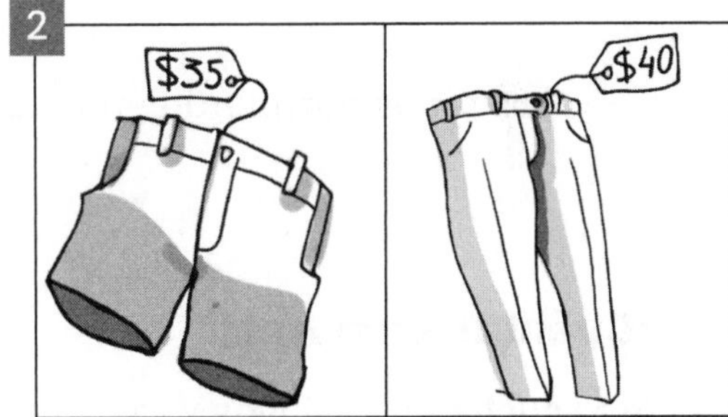

3

4

5

31 Tarde de compras

▶ **Escucha** los diálogos e indica si las siguientes afirmaciones son ciertas (C) o falsas (F). Luego, corrige las afirmaciones falsas.

1. El señor Torres prefirió pagar en efectivo. C F

____

2. Pamela pidió una talla más pequeña del traje de baño. C F

____

3. Rafael consiguió una chaqueta de color café en oferta. C F

____

4. Adela eligió un collar y unos aretes para su hermana. C F

____

5. Los niños durmieron en un banco del centro comercial. C F

____

32 ¡Cuántas compras!

▶ **Escucha** los diálogos y responde a las preguntas de cada ficha.

Carlos	Alicia
¿A qué tienda fue? ______	¿En qué tienda estuvo? ______
¿Qué compró? ______	¿Qué eligió para su mamá? ______
¿Cómo pagó? ______	¿Cuánto le costó? ______

Silvia y Pedro	Sergio y Cristina
¿A qué tienda fueron? ______	¿Adónde fueron? ______
¿Qué eligió Pedro? ______	¿Qué compraron? ______
¿Qué prefirió Silvia? ______	¿Cómo pagaron? ______

Nombre: .... **Fecha:** ....

33 ¡Qué difícil es comprar!

▶ **Habla** con tu compañero(a). Sigan las viñetas y cuenten qué hizo ayer Andrés en el centro comercial. Inventen un final para la historia.

34 Preferencias

▶ **Habla** con dos compañeros(as). Imaginen que están comprando en distintas tiendas. Digan qué artículos eligieron y por qué.

Modelo

35 Ropa apropiada

▶ **Habla** con tu compañero(a). Por turnos, hagan preguntas sobre qué ropa y complementos eligieron para visitar los siguientes lugares. Justifiquen sus respuestas.

- Para subir al Chimborazo.
- Para pasear por Potosí.
- Para asistir al carnaval de Oruro.
- Para ir a las islas Galápagos.

36 Nuestra vitrina

▶ **Representa** con tu compañero(a) un diálogo en una tienda de ropa, calzado y complementos. El/la cliente(a) tiene que elegir tres productos de la vitrina. Usen los siguientes puntos como guía.

1. Preguntar por la talla o pedir otra si la necesitan.
2. Preguntar o decir si hay productos similares (otro color, otro tejido, etc.).
3. Preguntar si quieren o si pueden probársela y decir cómo les queda.
4. Hablar del precio y preguntar cómo van a pagar.

Modelo

Nombre: .... **Fecha:** ....

37 Un domingo de compras

▶ **Escucha.** ¿Qué compraron los miembros de la familia Ramírez? Haz una marca en el lugar correspondiente y añade un dato sobre la compra.

	SEÑOR RAMÍREZ	SEÑORA RAMÍREZ	EDUARDO	NOEMÍ	TÍO JOSÉ
	✓ Es de rayas.				

38 Fuera del grupo

▶ **Escucha** los grupos de palabras y escribe la palabra que no pertenece al grupo.

1. ....
2. ....
3. ....
4. ....
5. ....

39 Conjuga

▶ **Escucha** y relaciona con las imágenes. ¿Qué hicieron estas personas? Escribe una oración en pretérito para cada fotografía.

A
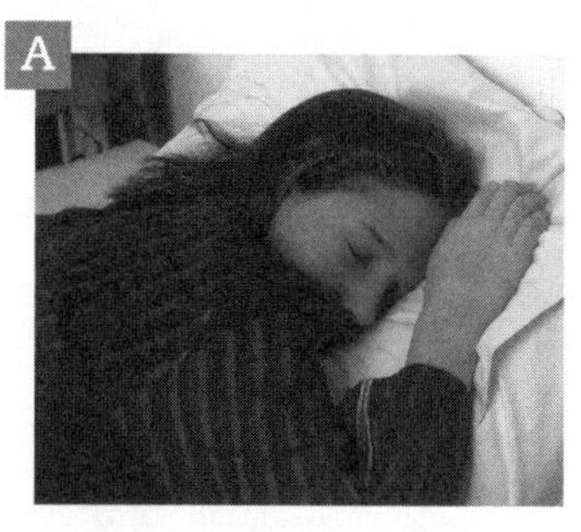

C

E

B

D
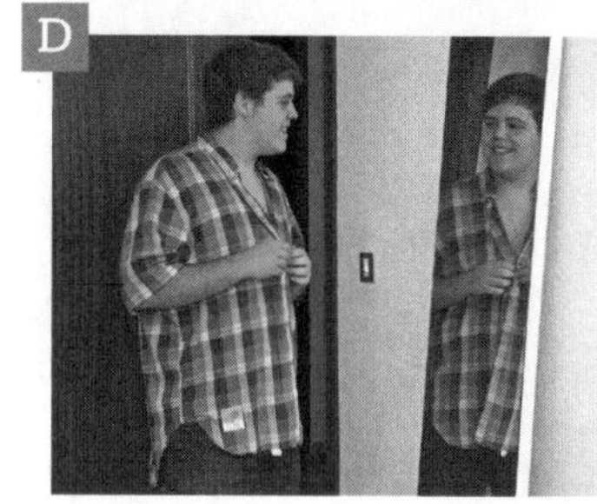

F

1. A. Diana durmió en su casa.
2. ______
3. ______
4. ______
5. ______
6. ______

40 Juan en los Andes

▶ **Escucha** a Juan e indica si estas afirmaciones son ciertas (C) o falsas (F). Luego, corrige las afirmaciones falsas.

1. Juan Salerno empezó su viaje en Potosí. C F

______

2. Juan consiguió ropa de lana. C F

______

3. En Bolivia, Juan fue a una tienda de música. C F

______

4. Juan compró aretes y collares de oro en Guayaquil. C F

______

Nombre: .... **Fecha:** ....

41 Tu ropa, tus tiendas

▶ **Prepara** un cuestionario con cuatro preguntas para entrevistar a tus compañeros(as) sobre sus gustos y costumbres en relación con las compras y la ropa. Lee los títulos de la tabla de abajo para orientar tus preguntas.

¿Qué compras? ¿Qué te pones?

1. ____________________
2. ____________________
3. ____________________
4. ____________________

▶ **Entrevista** a cinco compañeros(as). Utiliza el cuestionario. Luego, completa la tabla con la información obtenida.

COMPAÑERO(A)	TIENDA FAVORITA	PRENDA FAVORITA	COMPLEMENTO FAVORITO	COLOR FAVORITO
1.				
2.				
3.				
4.				
5.				

42 Cosas tuyas

▶ **Habla** con tu compañero(a). Por turnos, hagan preguntas en pretérito con los verbos del recuadro y respondan con oraciones completas. ¡Sean creativos!

Modelo

¿Qué le dijiste a la profesora?

Le dije que estuve enfermo y por eso no vine a la escuela.

comprar	*decir*	*cantar*	*salir*	*pedir*	*conseguir*
escribir	*estar*	*comer*	*ser*	*elegir*	*vestirse*
hacer	*tener*	*beber*	*ir*	*medir*	*preferir*

43 Tablero de preguntas

▶ **Habla** con tu compañero(a). Por turnos, pregunten y respondan qué compraron estas personas, dónde lo compraron, cómo lo pagaron o cómo les queda. Usen las imágenes como guía y respondan con oraciones completas.

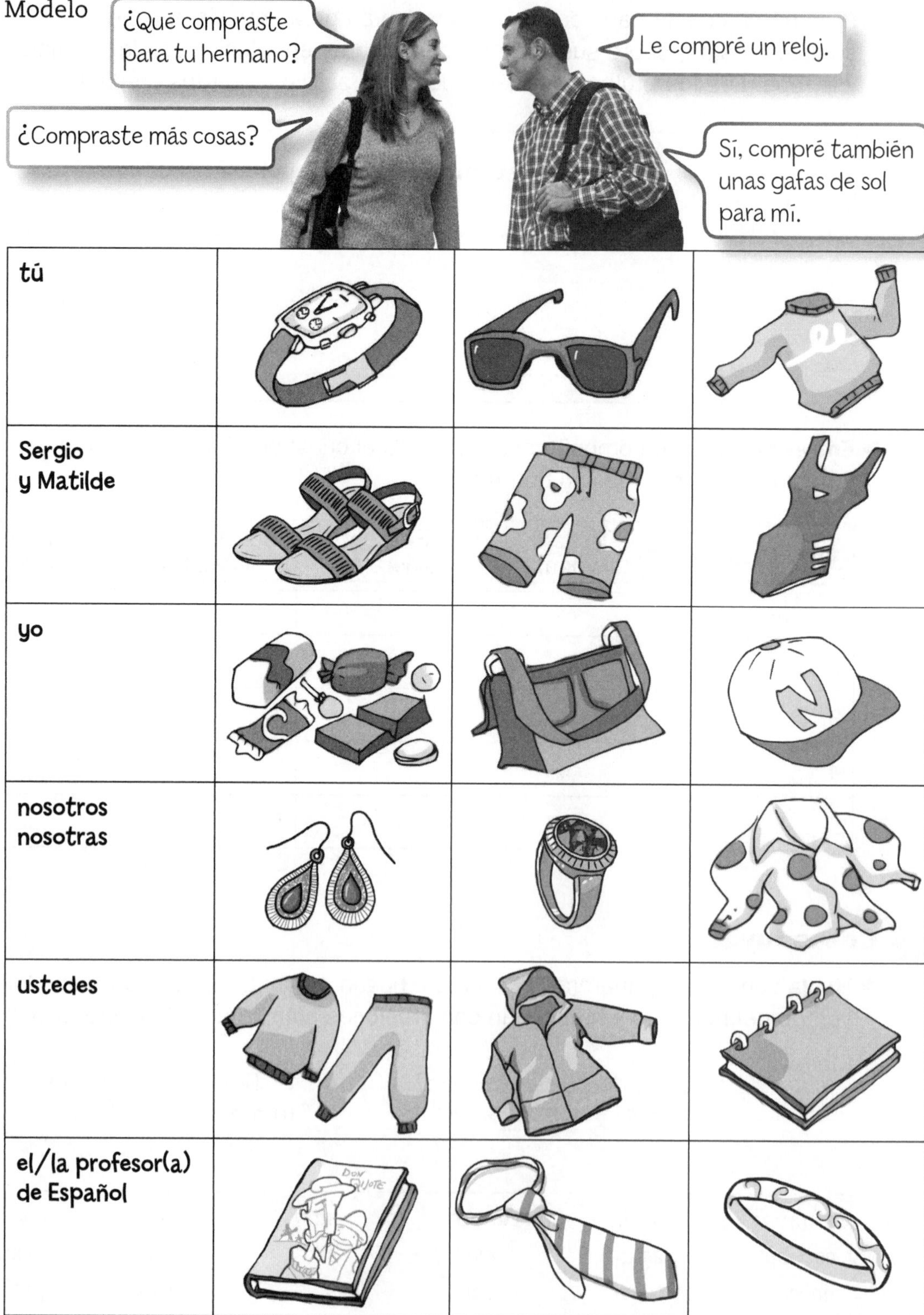

Nombre: .... **Fecha:** ....

LA HERENCIA HISPANA

1 Los hispanos en los Estados Unidos

▶ **Escucha** la presentación sobre Norteamérica y responde a las siguientes preguntas.

1. ¿Qué países forman parte de Norteamérica?

2. ¿Cuántos hispanos hay hoy en los Estados Unidos?

3. ¿En qué aspectos podemos ver la influencia hispana en los Estados Unidos?

4. ¿Qué es El Álamo? ¿Dónde está?

▶ **Escucha** otra vez la información y escribe una oración para explicar cada fotografía.

1

2

3

2 Cada sílaba en su lugar

▶ **Escucha** y divide las palabras en sílabas.

1. ☐☐
2. ☐☐☐☐
3. ☐☐☐
4. ☐☐☐☐
5. ☐☐☐☐☐
6. ☐☐

3 ¿Cuántas sílabas?

▶ **Escucha** y repite las palabras. Escucha otra vez y clasifica las palabras de acuerdo con el número de sílabas que tienen.

5 SÍLABAS	4 SÍLABAS	3 SÍLABAS	2 SÍLABAS

4 La sílaba más fuerte

▶ **Escucha** y coloca cada palabra en un esquema.

Modelo

vainilla → 

Recuerda

- Al decir una palabra, pronunciamos una sílaba con más intensidad: es la **sílaba tónica**. Ejemplo: *comer*, *tortilla*.
- A veces, la sílaba tónica lleva acento gráfico (´), de acuerdo con las reglas de ortografía. Ejemplo: *salmón*, *típico*.

1. ☐■
2. ■☐
3. ■☐☐
4. ☐■☐
5. ☐☐■
6. ☐■☐☐

5 Historia de una viejecita

▶ **Lee** en voz alta estos versos de Rafael Pombo, un poeta colombiano. Luego, escucha y corrige tu pronunciación.

Érase una viejecita
sin nadita que comer
sino carnes, frutas, dulces,
tortas, huevos, pan y pez.

Bebía caldo, chocolate,
leche, vino, té y café,
y la pobre no encontraba
qué comer ni qué beber.

Nombre: .... **Fecha:** ....

6 Un buen desayuno

▶ **Escucha** a Marcela. Va a desayunar. Sigue sus acciones y elige la imagen relacionada con cada una de ellas.

1

______

2

______

3

______

4

______

5
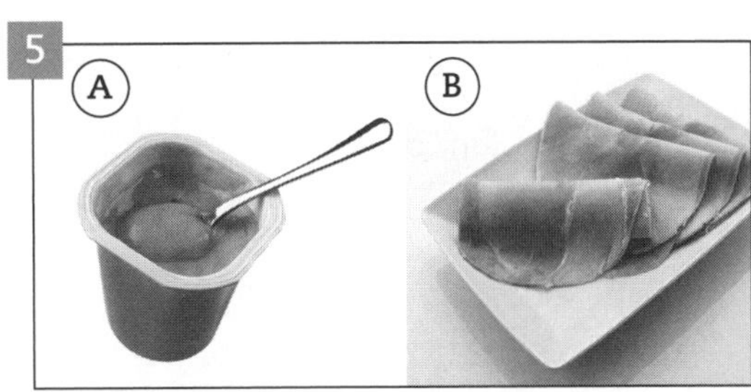

______

7 ¿Qué comieron?

▶ **Escucha** atentamente las pistas (*clues*) y adivina qué comieron estas personas. Completa las oraciones con el nombre de cada alimento.

1. Jorge comió ______.
2. Hilda almorzó ______.
3. El profesor de Español comió ______.
4. Cristina y Adela Pérez pidieron ______.
5. Pablo almorzó ______.

8 Cantidades

▶ **Escucha** a los señores Fernández. Están haciendo la compra en el supermercado. Para cada oración, elige el indefinido adecuado y escribe una oración con él.

1. muchos / pocos / ninguno ___Hay pocos huevos en la nevera.___
2. ningún / alguno / mucho ______________________
3. algunos / muchos / todos ______________________
4. poco / ninguno / mucho ______________________
5. algunos / demasiadas / todo ______________________

9 Frutas de todos los colores

▶ **Escucha** y relaciona cada chico y cada chica con su fruta favorita. Luego, escribe el nombre de cada fruta junto a su dibujo.

Nombre: .... **Fecha:** ....

10 Concurso de ensaladas

▶ **Habla** con dos compañeros(as). Tienen que preparar "la mejor ensalada", con muchos ingredientes. Decidan qué van a utilizar y hagan una lista con los ingredientes. No olviden dar un nombre a su ensalada.

▶ **Presenten** su receta a la clase. Entre todos(as), elijan la ensalada más rica y original.

11 El desayuno de los famosos

▶ **Habla** con tu compañero(a). Imaginen qué desayunan los siguientes famosos. Hablen también del desayuno de sus famosos favoritos.

Salma Hayek

Leonel Manzano

Julieta Venegas

Mi famoso(a) favorito(a) es

____

____

12 Cena en familia

▶ **Representa** con dos compañeros(as) una cena en familia. Usen las imágenes como guía y utilicen indefinidos como en el modelo.

Modelo

¿Quieres ensalada?

Sí, por favor, con mucha zanahoria. Pero no quiero cebolla.

¿Y un poco de tomate?

Sí, el tomate me encanta. Quiero bastante tomate y poca sal.

1 4 7 10

2 5 8 11

3 6 9 12

13 Nuestras comidas

▶ **Habla** con tu compañero(a). Por turnos, pregunten y respondan. ¿Qué comen normalmente para el desayuno, el almuerzo y la cena? ¿Cuánta cantidad toman? ¿Cuáles son sus comidas favoritas? Usen indefinidos como en el modelo.

Modelo

¿Tomas mucha leche en el desayuno?

Sí, tomo bastante leche y algunas frutas. ¡Tienen muchas vitaminas!

Nombre: .... **Fecha:** ....

14 La compra

▶ **Escucha** y elige la respuesta correcta.

1. ¿Qué cantidad de jamón compró el señor?
   a. 100 gramos. b. Un litro. c. Medio kilo.
2. ¿Cuánto tomate necesita la señora?
   a. Dos kilos. b. Dos bolsas. c. Un bote.
3. ¿Qué quiere la niña?
   a. Una bolsa de papas. b. Una caja de galletas. c. Un paquete de cereales.
4. ¿Qué va a comprar el chico?
   a. Una botella. b. Una bolsa. c. Un tarro.
5. ¿Qué está haciendo el señor?
   a. Está haciendo cola. b. Está pesando la fruta. c. Está comprando la carne.

15 Una receta mexicana

▶ **Escucha** a Maribel Funes. Es cocinera y va a preparar una comida mexicana deliciosa. Relaciona cada ingrediente con la imagen correspondiente.

A

E

B

D

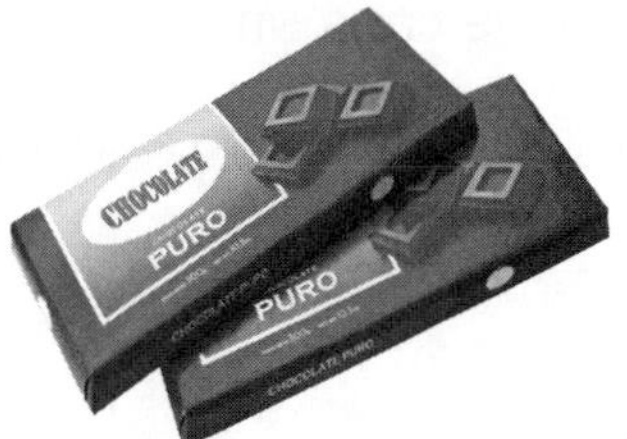

F

1. ____________ 3. ____________ 5. ____________

2. ____________ 4. ____________ 6. ____________

16 Unidades de medida

▶ **Escucha** a algunas personas hablando sobre alimentos. ¿Qué alimentos se expresan en kilos? ¿Qué alimentos se expresan en litros? Escribe el nombre de cada alimento en la columna adecuada.

	KILO	LITRO
1.		
2.		
3.		
4.		
5.		

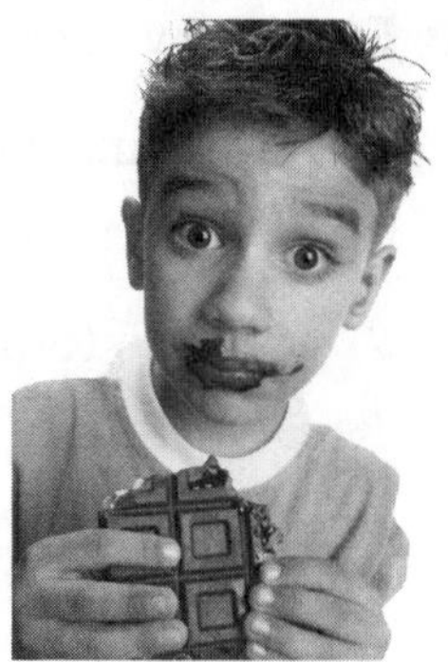

17 El carro de la compra

▶ **Escucha** la conversación entre Michelle y su hija Liz. ¿Qué compran en el supermercado? Marca los alimentos en la siguiente lista.

- ☐ cereales
- ☐ galletas
- ☐ leche
- ☐ agua
- ☐ mantequilla
- ☐ mermelada
- ☐ naranjas
- ☐ arroz
- ☐ espaguetis
- ☐ tomate
- ☐ cebollas
- ☐ pollo
- ☐ carne de res
- ☐ queso

▶ **Escucha** otra vez la conversación y escribe mandatos formales para Michelle y mandatos informales para Liz. Usa el verbo *comprar* e indica los alimentos y los envases o las cantidades de cada uno.

1. Michelle, por favor, compre una caja de galletas.
2. Liz, ______
3. Michelle, ______
4. Liz, ______
5. Michelle, ______
6. Liz, ______

Nombre: .... **Fecha:** ....

18 Entre amigos

▶ **Habla** con tu compañero(a). Por turnos, den mandatos informales relacionados con las imágenes. Añadan una explicación, como en el modelo.

Modelo

Prepara tú la ensalada. Yo tengo que lavar los platos.

1

2

3

4

5

6

7

8

9

19 En la clase

▶ **Representa** con tu compañero(a) un diálogo entre un(a) estudiante y un(a) maestro(a). El/la maestro(a) da mandatos informales y el/la estudiante responde con mandatos formales. El diálogo debe tener al menos (*at least*) diez frases.

Modelo

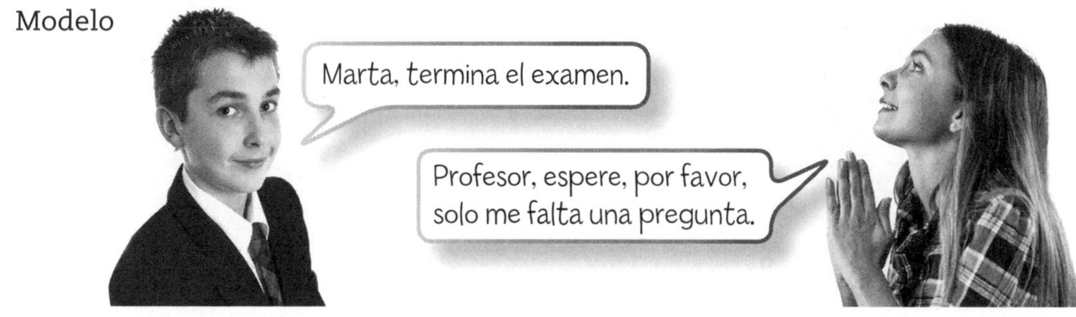

20 Listas de la compra

▶ **Escribe** una lista de la compra con ocho artículos. Indica los envases y las cantidades. Después, dale órdenes a tu compañero(a) relacionadas con los alimentos de la lista. Él/ella debe escribir los artículos de tu lista.

Modelo

Ve a la frutería y compra un kilo de cebollas.

La lista de tu compañero(a)

Un kilo de cebollas

Tu lista de la compra	**La lista de tu compañero(a)**

21 Entre padres e hijos

▶ **Representa** con tu compañero(a) un diálogo entre un padre o una madre y un(a) hijo(a). Los dos deben dar órdenes o pedir diferentes cosas y contestar de manera adecuada, como en el modelo.

Modelo

Nombre: .... **Fecha:** ....

22 Cinco chicas en la cocina

▶ **Escucha** a las hermanas Juárez. Están preparando la cena. Relaciona cada acción con una imagen y escribe el nombre de cada chica debajo de su dibujo.

1. ______
2. ______
3. ______
4. ______
5. ______

23 Preparativos

▶ **Escucha** a Jorge Demare, el chef de un restaurante, y elige la opción correcta.

1. Jorge está cocinando en...
   a. una sartén. b. una olla. c. un bol.
2. En el restaurante de Jorge se sirven las papas con...
   a. mayonesa. b. aceite. c. salsa de tomate.
3. Para preparar la carne favorita de los clientes, Jorge...
   a. añade chiles picantes. b. la bate. c. le echa helado.
4. Después de cortar la fruta, Jorge...
   a. la mezcla en un bol. b. la hierve. c. la fríe.
5. Mariana necesita...
   a. ollas y sartenes. b. la sal. c. una bandeja.

24 Consejos para tus amigos

▶ **Escucha** las preguntas de tus amigos y completa tus consejos con el imperativo del verbo adecuado. Usa los verbos del recuadro.

Modelo –*¿Dónde podemos comer platos mexicanos típicos?*
–*Vayan al restaurante La Casa del Sol.*

beber	*tener*	*ir*	*probar*	*pedir*

1. ______________ enchiladas mexicanas.
2. Sí. ¡______________ cuidado con la salsa picante!
3. ______________ jugo de frutas.
4. ______________ el dulce de plátano.
5. ______________ al cine.

25 Tus recomendaciones

▶ **Escucha** los diálogos. ¿Qué pueden hacer estas personas? Relaciona cada diálogo con una imagen y escribe debajo tu recomendación.

☐ 

____

☐ 

____

☐ 

____

☐ 

____

Nombre: .... **Fecha:** ....

26 Órdenes y más órdenes

▶ **Habla** con tu compañero(a). Por turnos, den instrucciones con los verbos del recuadro y respondan a ellas. Sean creativos con las situaciones.

Modelo

27 Un plato de la cocina tex-mex

▶ **Habla** con tu compañero(a). Ordenen las imágenes y expliquen la receta de los tacos de carne usando el imperativo plural. Utilicen los ingredientes y los verbos de los recuadros.

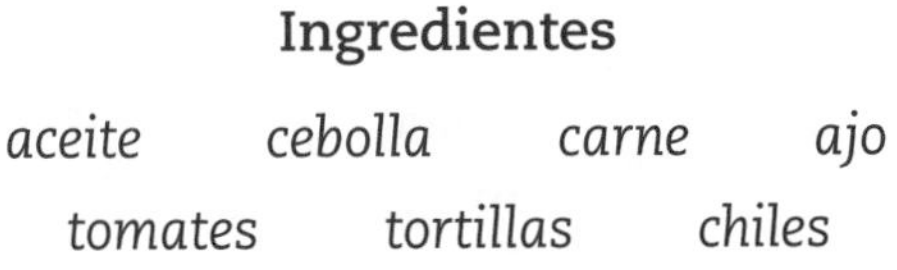
Ingredientes

aceite *cebolla* *carne* *ajo*
tomates *tortillas* *chiles*

Acciones

añadir *cortar* *echar*
freír *poner*

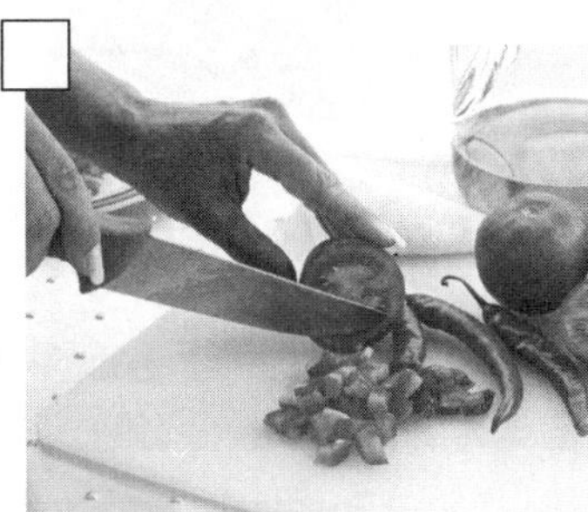

28 Sobre gustos...

▶ **Habla** con tu compañero(a) sobre sus comidas favoritas. ¿Cuáles son? ¿Cómo le gusta comerlas? ¿Las prepara? ¿Cómo las cocina? Por turnos, pregunten y respondan.

Modelo

29 Platos y recetas

▶ **Habla** con dos compañeros(as) sobre estos platos típicos. Imaginen la receta de cada uno y, por turnos, den instrucciones para prepararlos. Usen el imperativo plural, como en el modelo.

Modelo

Para preparar el plato 1, mezclen la harina y el agua.

1 Pan de muerto

3 Chile con carne

5 Frijoles con arroz

2 Ensalada de aguacate

4 Dulce de plátano

6 Burritos

Nombre: .... **Fecha:** ....

30 En el restaurante

▶ **Escucha** el diálogo de los señores Ramos con el mesero e indica si estas afirmaciones son ciertas (C) o falsas (F).

1. El señor Ramos pide el menú del día. C F
2. Al señor Ramos le gusta la comida muy caliente. C F
3. La señora Ramos pide, de primero, una sopa. C F
4. El señor Ramos pide, de segundo, un plato picante. C F
5. Los señores Ramos piden al mesero una botella de agua. C F

▶ **Escucha** de nuevo el diálogo y completa las siguientes oraciones.

1. A la señora Ramos le gusta la comida ______________________________.
2. La señora Ramos prefiere las papas ______________________________.
3. De segundo, el señor Ramos pide ______________________________.
4. La señora Ramos no tiene ______________________________.
5. A los señores Ramos les gusta beber el agua ______________________________.

31 ¿Qué hay para comer?

▶ **Escucha** los siguientes minidiálogos y elige la respuesta correcta a cada pregunta.

1. ¿Qué pide la señora?
   a. Una ensalada. b. El menú del día. c. La carta.
2. ¿Qué pide el cliente?
   a. Pasta con tomate. b. Un primer plato. c. Una sopa fría.
3. ¿Qué desea la joven de segundo?
   a. Prefiere carne. b. No quiere segundo plato. c. Va a tomar pescado.
4. ¿Cómo está la comida del señor?
   a. Está picante. b. Está salada. c. Está sosa.
5. ¿Cómo está el café de la señora?
   a. Está amargo. b. Está frío. c. Está delicioso.
6. ¿Qué van a hacer las señoras?
   a. Van a pedir la carta. b. Van a pagar la cuenta. c. No van a dejar propina.

32 Quejas

▶ **Escucha** algunas quejas sobre la comida y completa la tabla con el número de la oración en el lugar correspondiente.

ESTÁ PICANTE	ESTÁ CALIENTE	MAL SERVICIO	ESTÁ SUCIO	ESTÁ SOSA

▶ **Escucha** de nuevo las quejas y escribe recomendaciones para estas personas.

1. No beban el agua caliente. Pidan una botella de agua fría.
2.
3.
4.
5.

33 Buenos consejos

▶ **Escucha** y escribe consejos con el imperativo negativo a partir de las preguntas.

Modelo *¿Por qué cocinas mucho la verdura?* → *No la cocines mucho.*

1.
2.
3.
4.
5.

34 Al revés

▶ **Escucha** algunas órdenes negativas con pronombres. Transfórmalas en órdenes afirmativas y crea una situación con sentido.

Modelo *No lo cocines mucho.* → *Cocina el arroz solo veinte minutos. ¡Si lo cocinas mucho, parece yogur!*

1.
2.
3.
4.
5.

Nombre: .... Fecha: ....

35 Órdenes y consejos

▶ **Habla** con tu compañero(a). Por turnos, digan qué órdenes o consejos les dan estas personas y den ustedes una orden o consejo a cada una de ellas. Usen el imperativo negativo, como en el modelo.

Modelo

Mi profesora de Español me dice: "Sammy, no olvides hacer la tarea todos los días". Hoy le voy a decir a mi profesora: "No nos haga un examen".

- el/la profesor(a) de Español
- mi compañero(a) de clase
- mi mamá
- mi papá
- mis abuelos
- mi mejor amigo(a)
- mi hermano(a)
- el/la mesero(a) del restaurante
- el/la vendedor(a) de la tienda de ropa
- el/la empleado(a) de la biblioteca

36 Comida tex-mex

▶ **Representa** con tu compañero(a) un diálogo entre el/la mesero(a) y un(a) cliente(a) en un restaurante tex-mex. Hagan preguntas sobre el menú y respondan adecuadamente. Utilicen mandatos negativos.

Modelo

37 ¡No lo hagas!

▶ **Representa** con tu compañero(a). Uno(a) hace algo y el/la otro(a) le da una orden negativa para evitarlo. Usen los verbos del recuadro y los pronombres objeto, como en el modelo. No olviden cambiar de papel.

Modelo

abrir	*cerrar*	*escribir*	*hacer*	*levantarse*	*prender*
apagar	*comer*	*hablar*	*leer*	*preguntar*	*tirar*

38 No estamos satisfechos

▶ **Habla** con tu compañero(a). Por turnos, reaccionen a estas situaciones en el restaurante. Usen el imperativo negativo y añadan una explicación, como en el modelo.

Modelo

No asen tanto la carne. ¡No es sano y tiene un sabor horrible!

1

3

5

2

4

6

Nombre: .... **Fecha:** ....

39 ¡Todos tienen hambre!

▶ **Escucha.** ¿Qué quiere cada persona? Relaciónalo con la fotografía correspondiente.

1. ______
2. ______
3. ______
4. ______
5. ______

40 ¡Elemental!

▶ **Escucha** y elige la opción más lógica.

1. Ana los comió…
   a. con carne. b. con fruta. c. con café.
2. En la casa de Toño hay siempre…
   a. botellas de leche. b. muchas frutas. c. latas de refrescos.
3. En el almuerzo, Marisa comió…
   a. ensalada con aceite y vinagre. b. papas fritas. c. espinacas hervidas.
4. Gustavo trabaja con…
   a. una bandeja. b. una sartén. c. una cazuela.
5. Bernardo deja siempre…
   a. la comida en el plato. b. los platos sucios. c. una buena propina.

41 Sugerencias

▶ **Escucha** y ordena las imágenes de acuerdo con el orden de los diálogos. Después, escribe debajo de cada imagen una sugerencia para los chicos. Usa el imperativo.

☐ 

____

☐ 

____

☐ 

____

☐ 

____

42 Vacaciones en Santa Fe

▶ **Escucha** la conversación de los señores López e indica si estas afirmaciones son ciertas (C) o falsas (F). Después, corrige las afirmaciones falsas.

1. Los señores López fueron de vacaciones a México. C F

____

2. Los señores López fueron a Santa Fe en coche. C F

____

3. Cuando llegaron a Nuevo México, fueron a una tienda de ropa. C F

____

4. El señor López comió pescado. C F

____

5. Los señores López no tienen ningún amigo en Nuevo México. C F

____

Nombre: .... **Fecha:** ....

43 ¡Hoy cenamos fuera!

▶ **Habla** con tu compañero(a). Imaginen que esta noche van a cenar a un restaurante y preparen un diálogo con órdenes o recomendaciones. Usen los dibujos como guía. ¡Sean creativos!

Modelo

> Ponte el traje. Vamos a ir a un restaurante elegante.

> De acuerdo, pero dame la plancha, por favor. ¡Está muy arrugado!

▶ **Representa** el diálogo con tu compañero(a) delante de la clase. Elijan entre todos(as) el diálogo más original.

44 No lo hagan

▶ **Habla** con tres compañeros(as). Usen las imágenes para dar consejos sobre lo que no deben hacer. Pueden usar el mismo dibujo para dar diferentes consejos. Luego, añadan dos consejos más por persona.

Modelo *No vayas a la playa sin el traje de baño.*

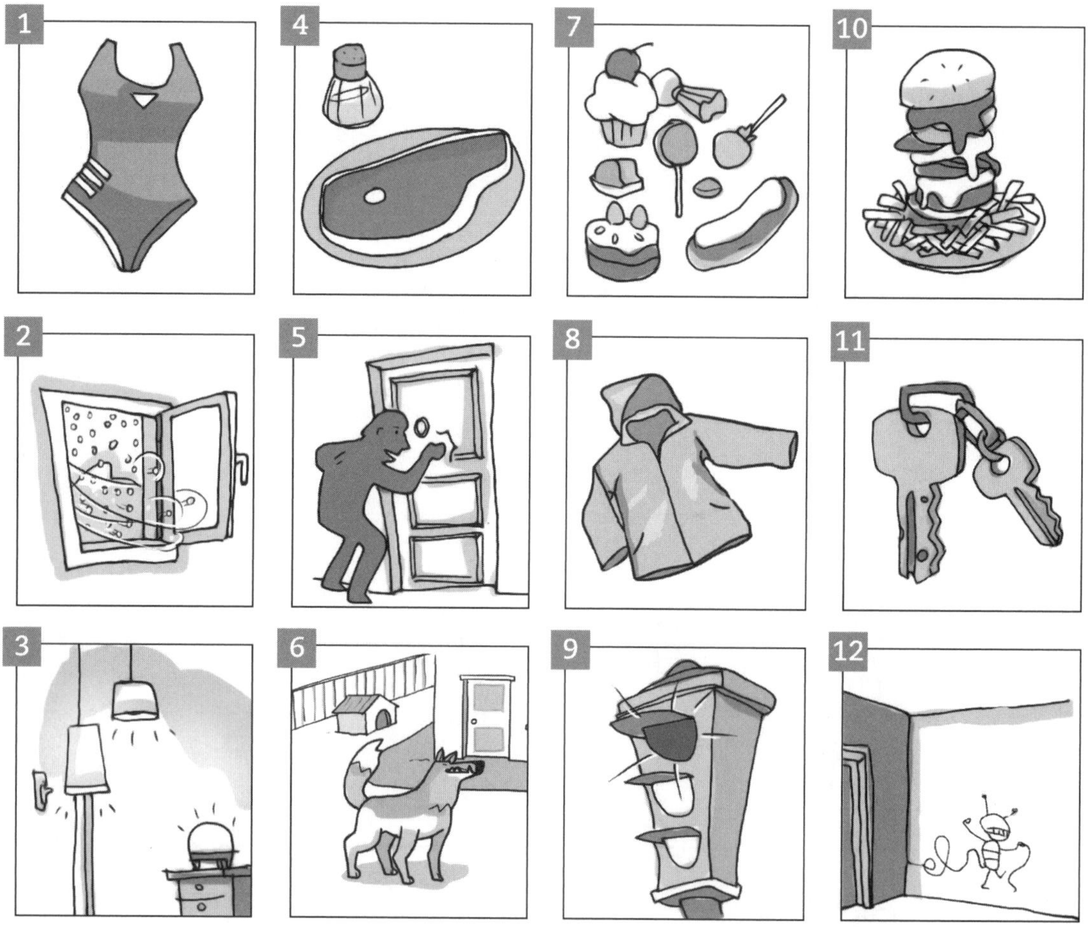

45 Comidas favoritas

▶ **Habla** con dos compañeros(as) sobre sus restaurantes favoritos. ¿Qué tipo de restaurantes son? ¿Van con su familia? ¿Con qué frecuencia van? ¿Qué les gusta comer allí? Recomienden sus comidas favoritas.

Modelo

Nombre: .... **Fecha:** ....

ENTRE EL ATLÁNTICO Y EL MEDITERRÁNEO

1 Un país con mucha cultura

▶ **Escucha** la información sobre España e indica si las siguientes afirmaciones son ciertas (C) o falsas (F).

1. España es una tierra de grandes pintores. C F
2. El edificio de la Universidad de Salamanca es muy antiguo. C F
3. La Alhambra está en Salamanca. C F
4. En España no se celebra el carnaval. C F
5. Los sanfermines son una fiesta popular del sur de España. C F
6. El gazpacho es un plato típico de Andalucía. C F

▶ **Escucha** otra vez la información y escribe debajo de cada fotografía lo que representa.

1

____

2

____

3

____

2 Con *t* y con *d*

▶ **Escucha** y marca las palabras que oyes.

- ☐ dentista
- ☐ Mediterráneo
- ☐ doctor
- ☐ lindo
- ☐ espalda
- ☐ estornudo
- ☐ tobillo
- ☐ detrás
- ☐ Atlántico
- ☐ triste
- ☐ dormido
- ☐ atleta
- ☐ salud
- ☐ frente
- ☐ cuidadoso
- ☐ drama

3 ¿Con *t* y con *d*?

▶ **Escucha** y clasifica las palabras. Escríbelas en el lugar correspondiente de la tabla.

SONIDO T	SONIDO D	SONIDOS T Y D

4 Por parejas

▶ **Escucha** y rodea con un círculo las palabras que oyes.

1. dado / dato
2. tuna / duna
3. drama / trama
4. muerte / muerde
5. tiende / tiente
6. falta / falda
7. venta / venda
8. tos / dos

5 Formamos oraciones

▶ **Escucha** y completa las oraciones con *t* o *d*.

1. El es__ornu__o __e Hugo __esper__ó al niño __ormi__o.
2. No __es __ulces a los niños, son malos para los __ien__es.
3. Margari__a es__á sorpren__i__a por la __espe__i__a de E__uar__o.
4. __iana se __espier__a __emprano y __esayuna __ranquilamen__e.
5. Mi __ío se cor__ó el __e__o con las __ijeras. ¡Qué __olor!

6 Trabalenguas

▶ **Escucha** este trabalenguas y repítelo. ¡Apréndelo de memoria!

El dragón tragón
tragó carbón y quedó panzón.
¡Qué dragón tan tragón!

Nombre: .... **Fecha:** ....

7 Partes del cuerpo

▶ **Escucha** y relaciona cada parte del cuerpo con la imagen correspondiente.

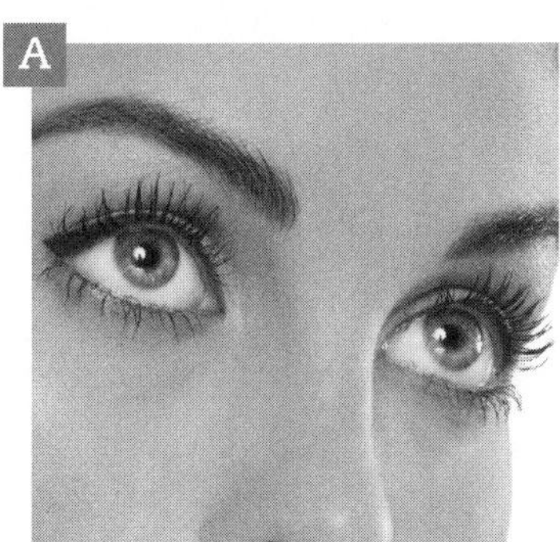

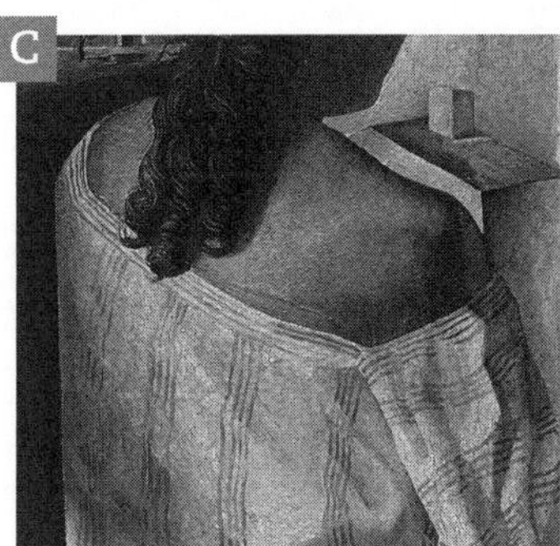

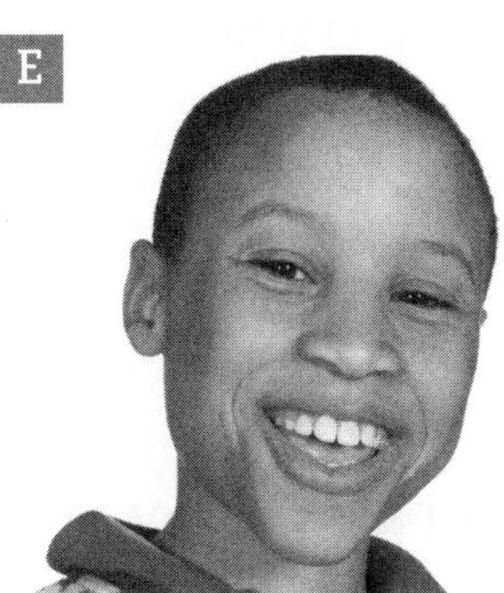

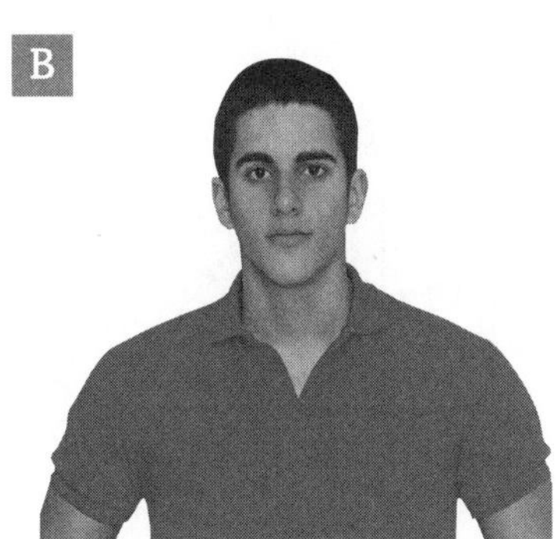

1. ________
2. ________
3. ________
4. ________
5. ________

8 Planes en España

▶ **Escucha.** ¿Qué planes tienen? Une el nombre de cada persona con la parte del cuerpo relacionada con cada acción.

Modelo *Iñaki va a correr en los sanfermines.* → *las piernas*

Ⓐ	Ⓑ
1. Amparo	a. las orejas
2. Terry	b. la mano
3. Ismael	c. los ojos
4. Juana	d. el cuello
5. Eugenio	e. la boca
6. Javier	f. la espalda
7. Teresa	g. los dedos

9 En un hotel de Madrid

▶ **Escucha** a la familia Castro y completa las oraciones con el participio correcto.

1. Ahora, la ventana está ______________________.
2. Ahora, la señora Castro está ______________________.
3. El señor Castro está ______________________ en el sofá.
4. Agustín está ______________________.
5. La ducha está ______________________.
6. El museo está ______________________.

10 Una exposición interesante

▶ **Escucha** los comentarios de Alicia y su madre. Elige la imagen apropiada y escribe la parte del cuerpo con el participio correcto en cada caso.

1. ______________________

____

2. ______________________

____

3. ______________________

____

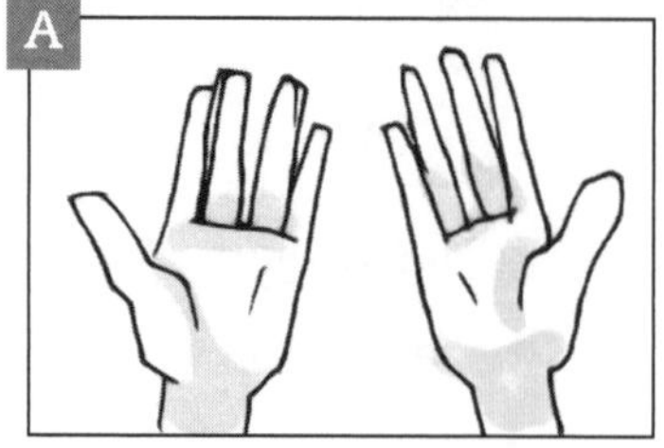

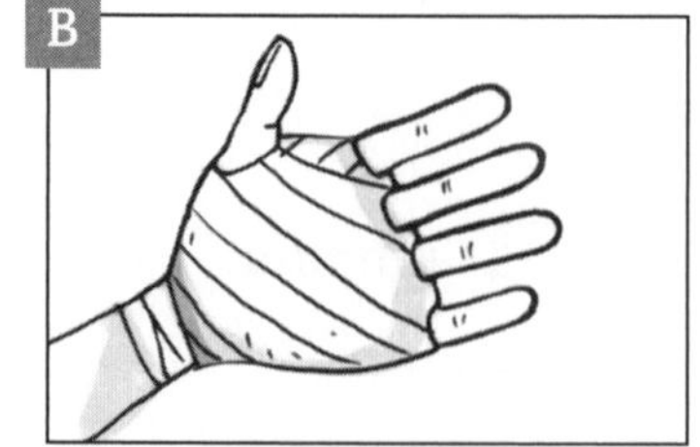

4. ______________________

____

Nombre: .... **Fecha:** ....

11 Tus compañeros

▶ **Habla** con cinco compañeros(as). Pregúntales por cinco rasgos físicos suyos y escribe sus respuestas en la tabla. Luego, presenta su descripción a la clase.

Modelo

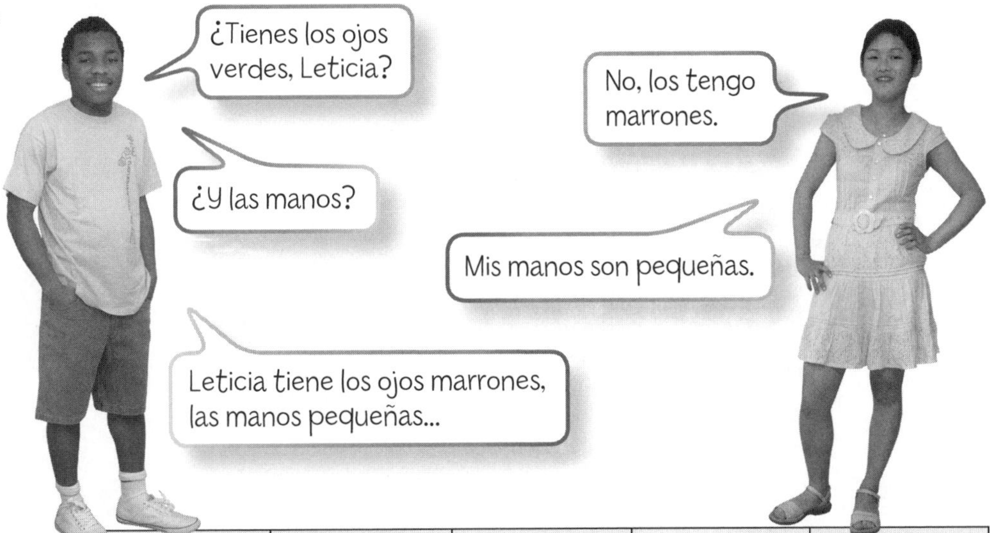

¿Tienes los ojos verdes, Leticia?

No, los tengo marrones.

¿Y las manos?

Mis manos son pequeñas.

Leticia tiene los ojos marrones, las manos pequeñas...

	OJOS	MANOS			
Leticia	marrones	pequeñas			
1.					
2.					
3.					
4.					
5.					

12 Monstruos de película

▶ **Habla** con tu compañero(a) sobre estas criaturas del cine. Por turnos, elijan una y descríbanla con todos los detalles. El/la compañero(a) debe adivinar cuál es.

13 Descripciones

▶ **Habla** con tu compañero(a) sobre las imágenes. Por turnos, hagan preguntas adecuadas y respondan usando un participio, como en el modelo.

Modelo

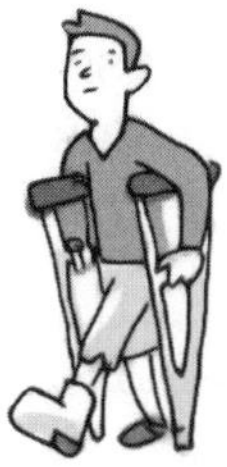

¿Qué le pasa al chico?

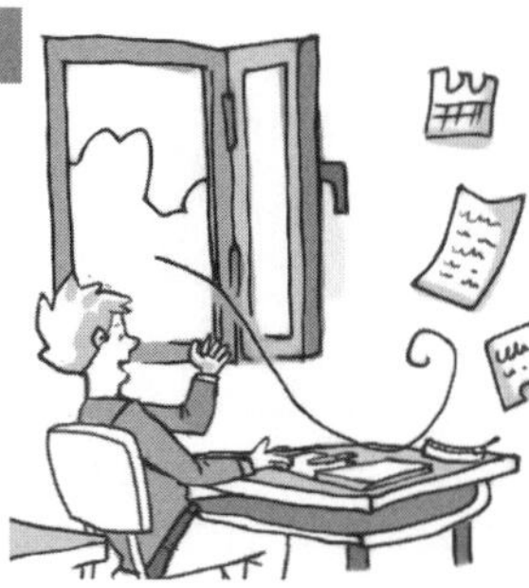

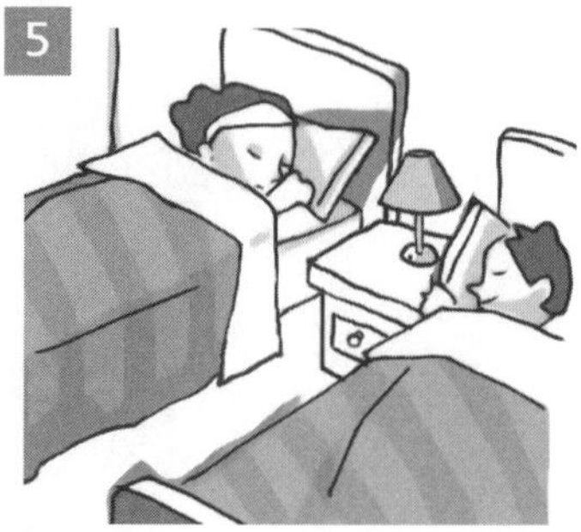

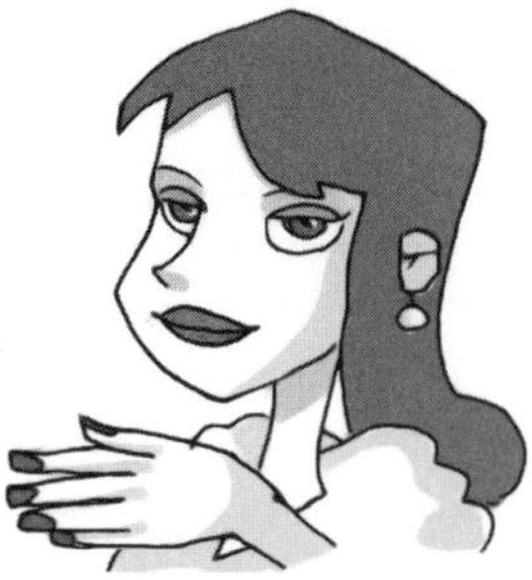

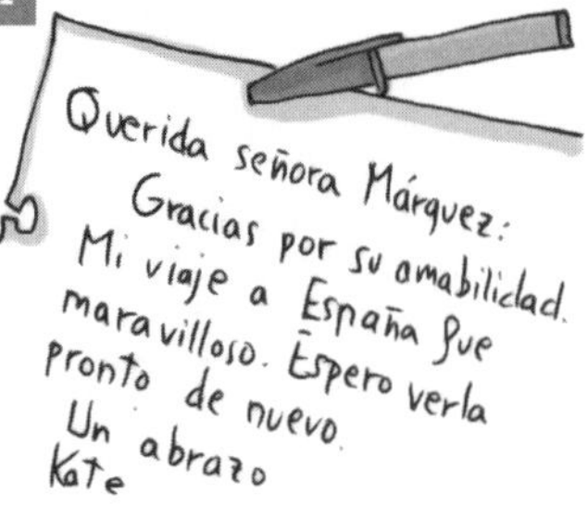

El chico tiene la pierna rota.

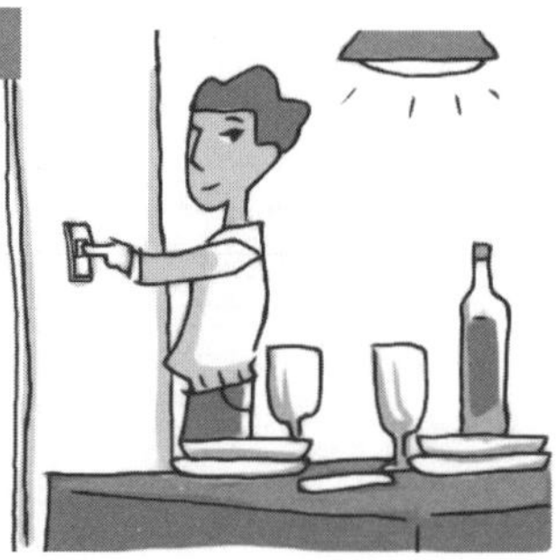

14 ¡Ya está hecho!

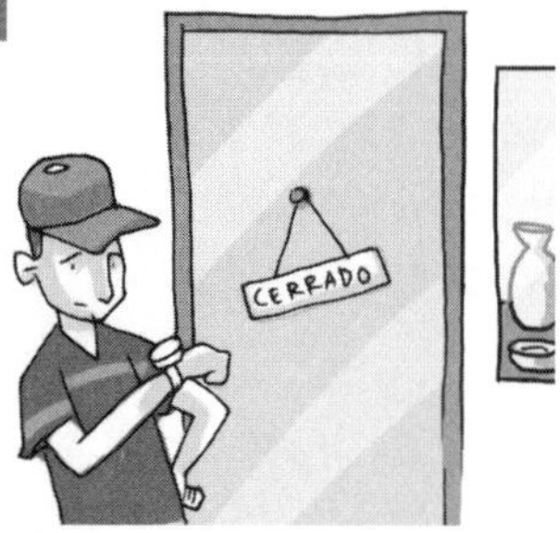

▶ **Habla** con tu compañero(a). Tú le pides un favor, pero ¡tu compañero(a) ya lo hizo! Luego, cambien los papeles, como en el modelo. Utilicen los verbos del recuadro.

Modelo

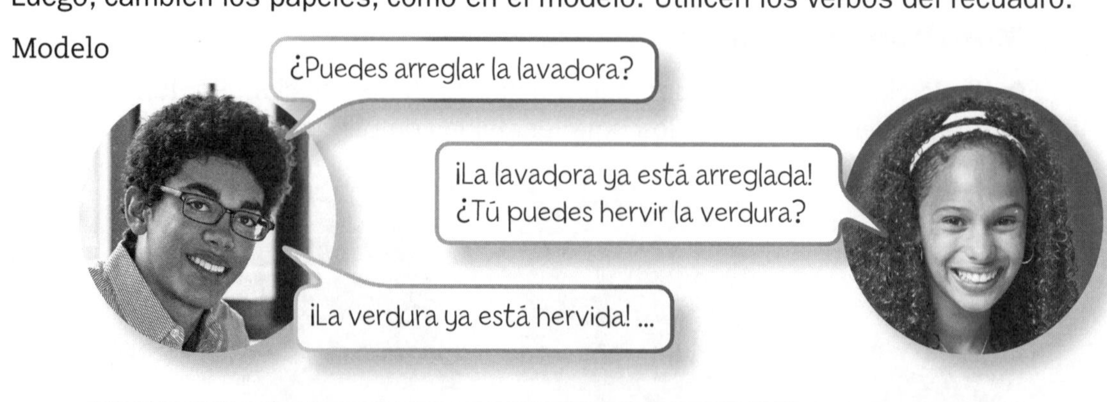

abrir	*cerrar*	*cocinar*	*comprar*	*escribir*	*hacer*
lavar	*leer*	*limpiar*	*preparar*	*pintar*	*poner*

Escucho español

Nombre: .... **Fecha:** ....

15 Uno de dos

▶ **Escucha** los minidiálogos y elige el objeto relacionado con cada uno de ellos.

1
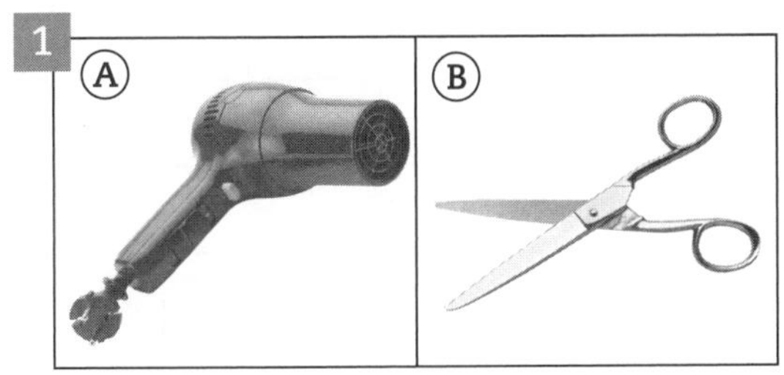

______

2
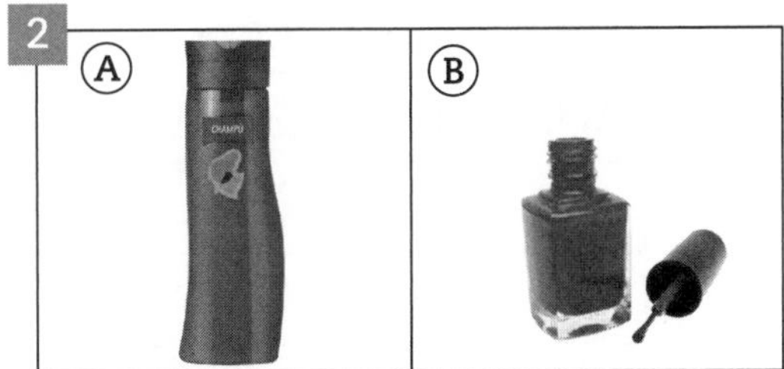

______

3
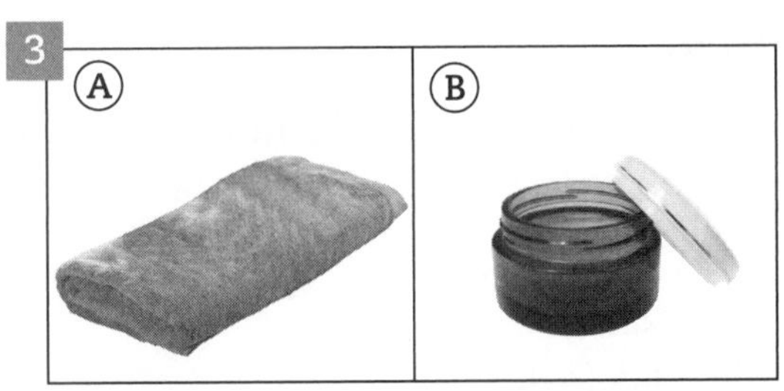

______

4
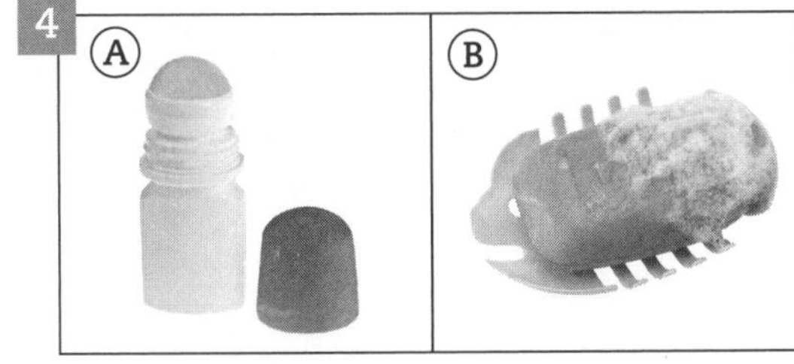

______

5
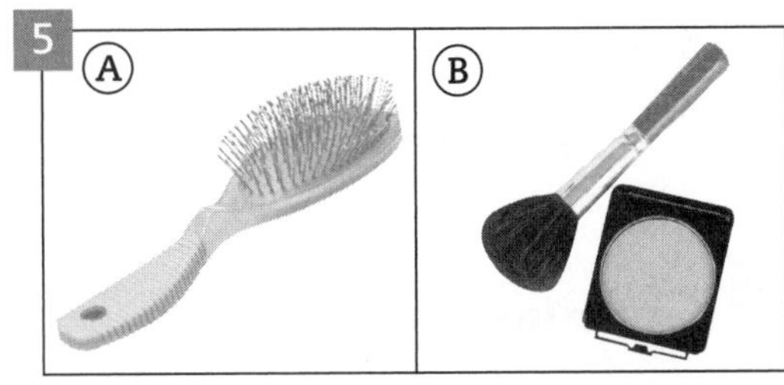

______

16 Higiene personal

▶ **Escucha** los mandatos y escribe un objeto o producto de higiene relacionado con cada uno de ellos. ¡Tienes quince segundos para cada respuesta!

Modelo ¡*Lávate la cara!* → *el jabón*

1. ______
2. ______
3. ______
4. ______
5. ______
6. ______
7. ______
8. ______

17 Modo y frecuencia

▶ **Escucha.** ¿Con qué frecuencia o cómo hacen las cosas estas personas? Marca en la tabla el adverbio correcto.

	HABITUALMENTE	FRECUENTEMENTE	RÁPIDAMENTE	LENTAMENTE	AMABLEMENTE
Joaquín					
Aída					
Lucía					
Ignacio					
Florinda					

18 La vida en el pueblo

▶ **Escucha** las costumbres de la familia Ferrán y completa las oraciones con un adverbio en *-mente*.

1. Amanda Ferrán va al mercado ____________________.
2. Felipe Ferrán elige las frutas ____________________.
3. Chelo Ferrán va a la plaza ____________________.
4. ____________________, la abuela va a la iglesia por la mañana.
5. La familia Ferrán vive ____________________ en su pueblo.

19 La rutina de Carlos

▶ **Escucha** la rutina de Carlos y ordena las imágenes. Luego, escribe debajo de cada dibujo el adverbio en *-mente* apropiado.

____

____

____

____

Nombre: .... **Fecha:** ....

20 ¿Cuándo lo haces?

▶ **Habla** con tu compañero(a). Por turnos, digan con qué frecuencia hacen las acciones representadas en las imágenes. Usen adverbios en *-mente*.

Modelo

> Veo partidos de fútbol en la televisión habitualmente.

> Yo juego al béisbol con mis amigos frecuentemente.

1 

4 

7 

2 

5 

8 

3 

6 

9 

21 Los fines de semana

▶ **Habla** con tu compañero(a). Por turnos, hagan preguntas sobre su rutina del fin de semana. No olviden utilizar en sus respuestas adverbios en *-mente*.

Modelo

> ¿A qué hora te despiertas los sábados?

> Los sábados me despierto normalmente a las ocho .

> ¿Y qué haces después?

22 Entrevista de grupo

▶ **Entrevista** a diez compañeros(as). Ellos(as) deben responder usando adverbios en *-mente*. Escribe sus respuestas como en el modelo.

Modelo

¿Qué desayunas?

Normalmente desayuno cereales con leche.

Eduardo desayuna normalmente cereales con leche.

1. ¿A qué hora te levantas?

____

2. ¿Cómo vienes a la escuela?

____

3. ¿Cuándo hablas o escuchas español?

____

4. ¿Dónde haces la tarea de la escuela?

____

5. ¿Cuándo haces deporte?

____

6. ¿Cuándo ordenas tu habitación?

____

7. ¿Cuándo vas a museos?

____

8. ¿Qué tipo de ropa llevas?

____

9. ¿Qué música escuchas?

____

10. ¿Adónde vas de vacaciones?

____

Escucho español

Nombre: .... **Fecha:** ....

23 En el hospital

Escucha a la doctora hablando con Rubén y relaciona sus palabras con las imágenes.

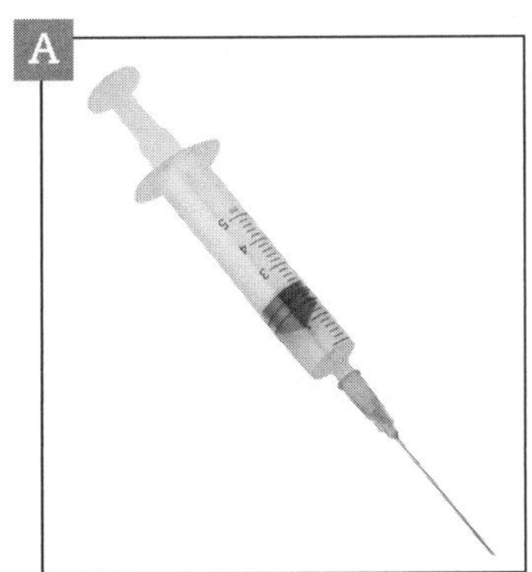
A

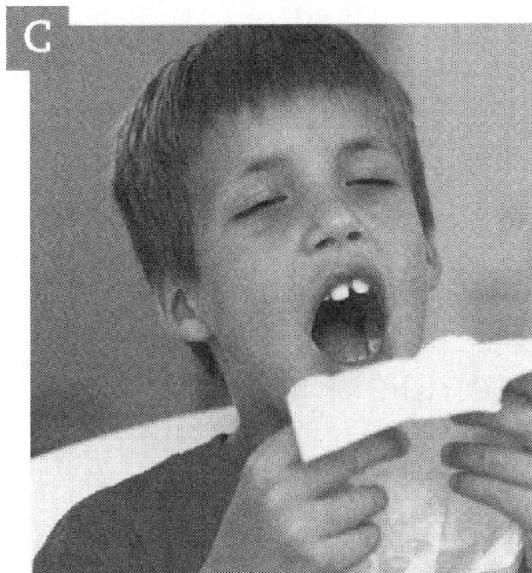
C

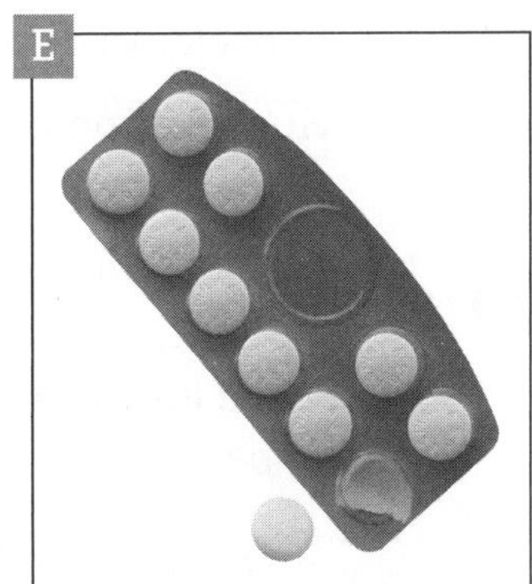
E

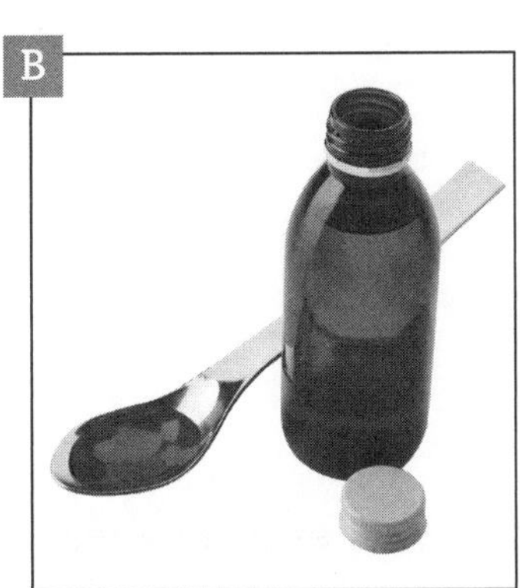
B

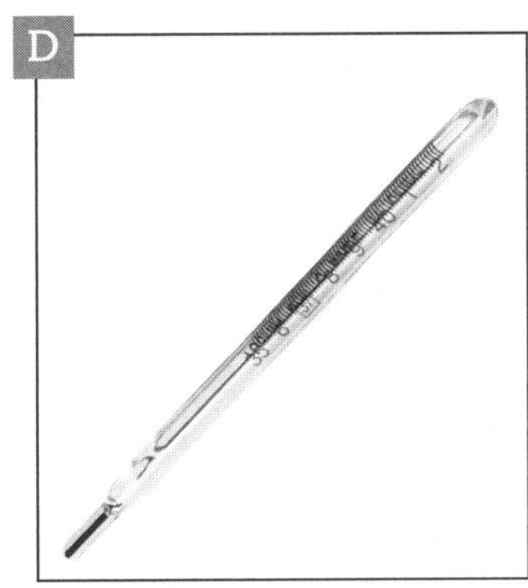
D

1. ________
2. ________
3. ________
4. ________
5. ________

24 ¿Qué les pasa?

Escucha y elige la opción correcta.

1. Probablemente, Mateo tiene...
   a. catarro. b. fiebre. c. el brazo roto.
2. Seguro que Marisa...
   a. compra aspirinas. b. tiene gripe. c. tiene alergia.
3. El mejor remedio para Sancho es...
   a. una inyección. b. un jarabe. c. una aspirina.
4. Dolores necesita...
   a. una aspirina. b. una inyección. c. una venda.
5. Probablemente, Javier tiene...
   a. alergia. b. gripe. c. fiebre.

25 No están bien

▶ **Escucha** los diálogos e indica si estas afirmaciones son ciertas (C) o falsas (F).

1. La señora va a la clínica. C F
2. El señor tiene que ir al médico. C F
3. El joven tiene que tomar medicamentos. C F
4. El paciente debe tomar el jarabe siete días. C F
5. Hugo no come porque le duele la garganta. C F

26 *Por y para*

▶ **Escucha** los diálogos y completa las oraciones. Recuerda que todas llevan *por* o *para*.

1. Tengo que tomar un jarabe ______________________.
2. Solo tomo aspirinas ______________________.
3. En los sanfermines, los toros corren ______________________.
4. Estoy de viaje ______________________.
5. Necesito un coche ______________________.

27 Preguntas y respuestas

▶ **Escucha** y relaciona cada pregunta con una imagen. Luego, escribe la respuesta debajo del dibujo correspondiente usando *por* o *para*.

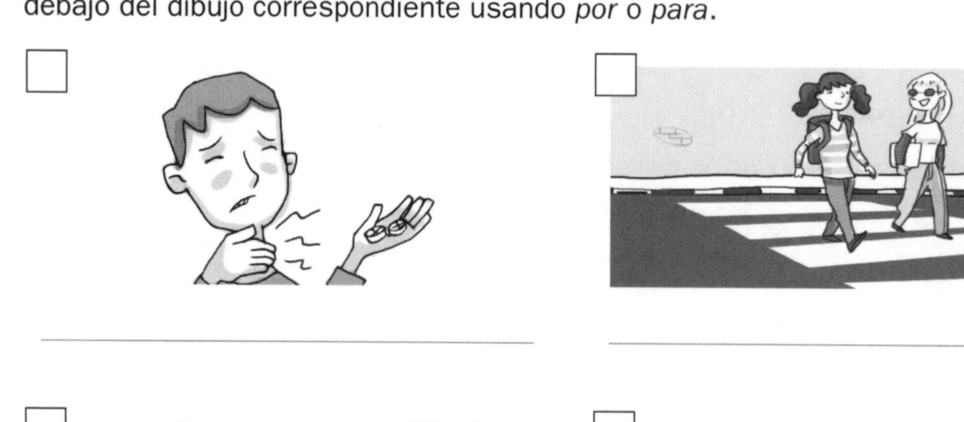

______________________ ______________________

______________________ ______________________

Nombre: .... **Fecha:** ....

28 Enfermedades y remedios

▶ **Habla** con tu compañero(a) sobre las imágenes. Por turnos, digan qué les pasa a estas personas y qué remedio es mejor para cada una de ellas.

Modelo

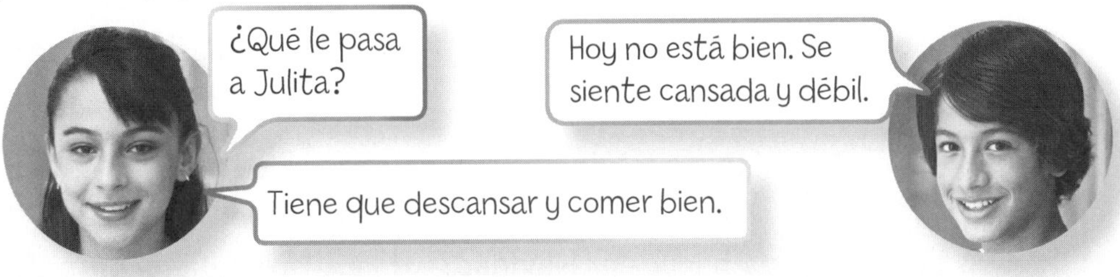
¿Qué le pasa a Julita?
Hoy no está bien. Se siente cansada y débil.
Tiene que descansar y comer bien.

1
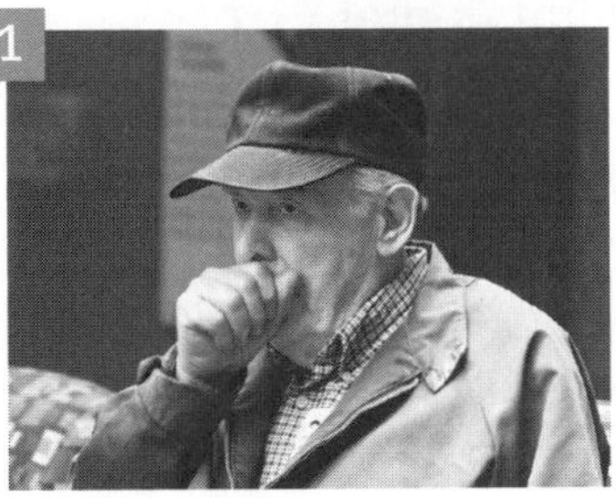
Paco

3
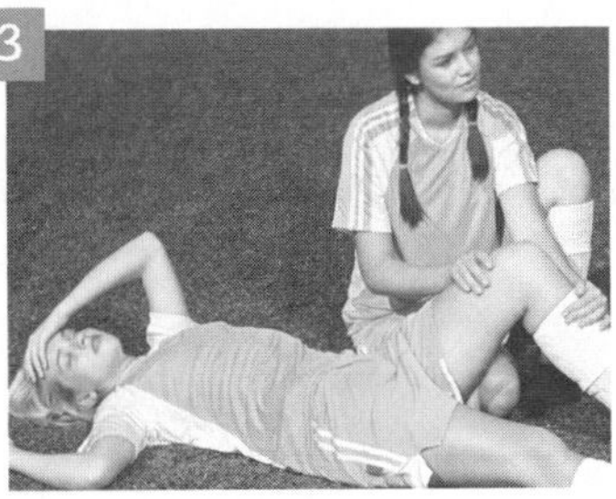
Sara

5
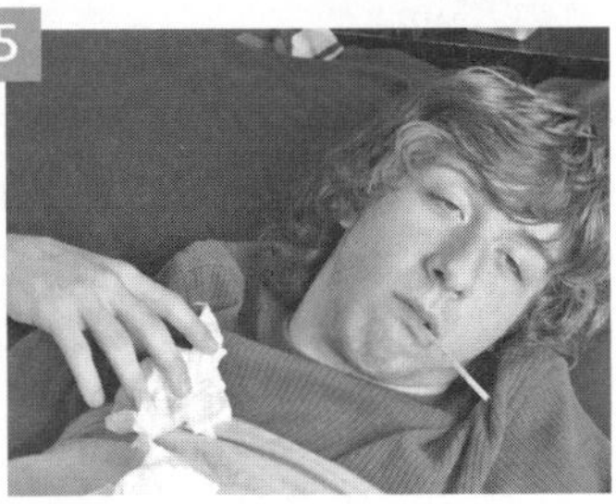
Aitor

2
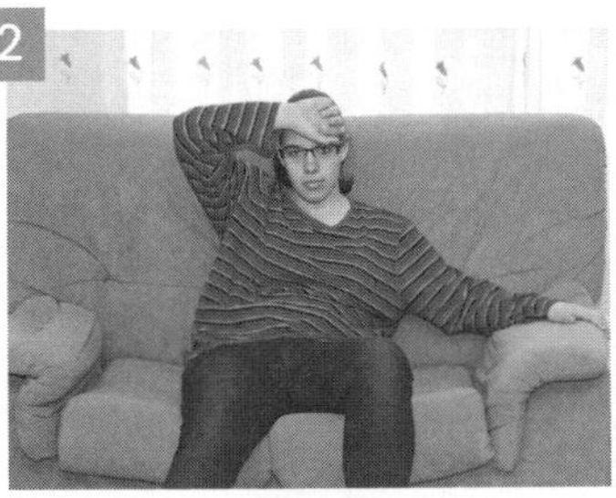
Julita

4
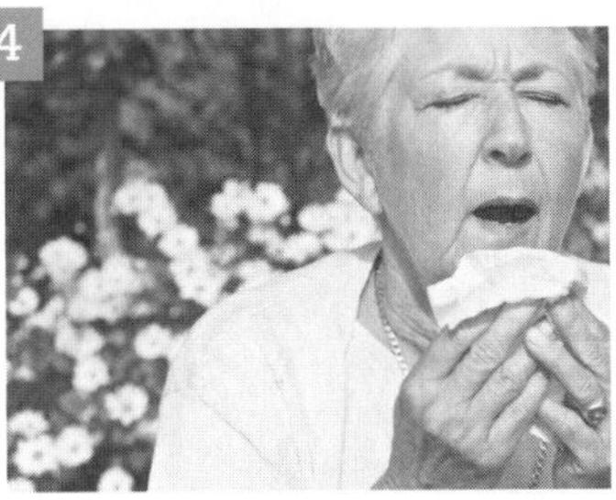
Virginia

6
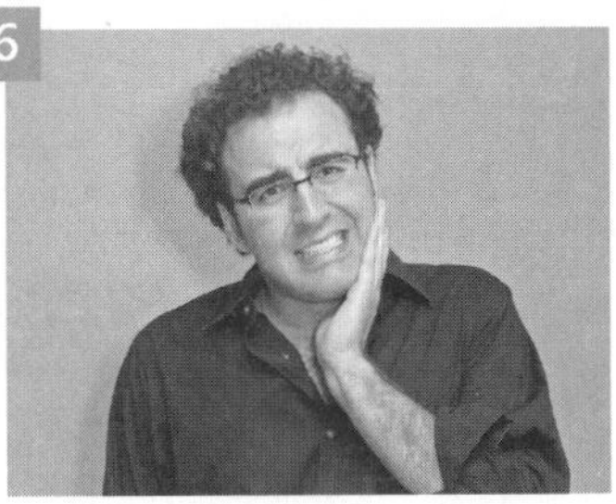
Andrés

29 En la clínica

▶ **Representa** con dos compañeros(as) un diálogo entre un(a) médico(a), un(a) enfermero(a) y un(a) paciente. Expliquen el problema y decidan el mejor remedio. Usen las preposiciones *por* y *para*. ¡Sean creativos!

Modelo

Doctora, me siento mal.
¿Qué le pasa?
Pase por aquí. Voy a tomarle la temperatura.

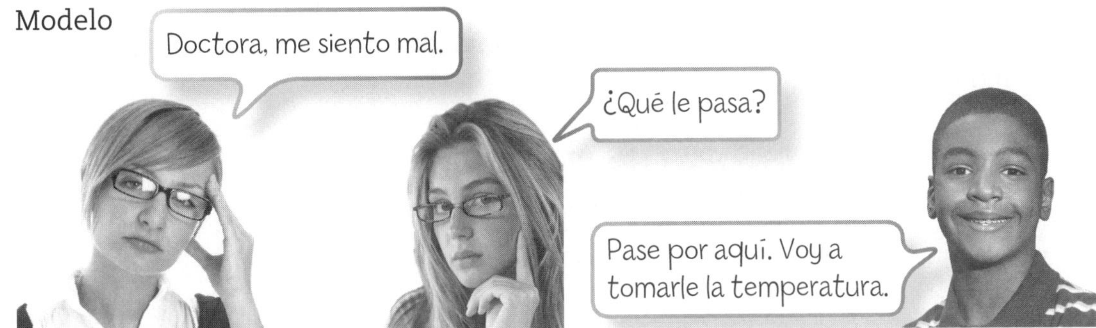

30 Razones y metas

▶ **Habla** con tu compañero(a). Por turnos, pregunten y respondan a este cuestionario. Luego, escriban diez preguntas más, cinco con *por* y cinco con *para*, y entrevisten a otros dos compañeros(as).

Por	Para
1. ¿Por dónde paseas los sábados?	1. ¿Para ti es importante hablar dos idiomas?
2. ¿Qué tiendas hay por tu casa?	2. ¿Para dónde vas este verano?
3. ¿Por qué es útil un teléfono celular?	3. ¿Para qué usas la computadora?
4. ¿Qué te gusta hacer por Navidad?	4. ¿Para quién compras regalos generalmente?
5. ¿Prefieres comunicarte con tus amigos por correo electrónico o por teléfono? ¿Por qué?	5. ¿Para cuándo es el próximo examen de Español?
6. ______________________	6. ______________________
7. ______________________	7. ______________________
8. ______________________	8. ______________________
9. ______________________	9. ______________________
10. ______________________	10. ______________________

31 ¡No rompas la cadena!

▶ **Habla** con tus compañeros(as). Formen una cadena de oraciones con *por* y *para*. Cada estudiante debe decir una oración relacionada con la anterior, como en el modelo. ¡Diviértete!

Modelo

Nombre: .... **Fecha:** ....

32 Están en forma

▶ **Escucha.** ¿Qué hacen estas chicas para estar sanas? Escribe el nombre de cada chica debajo de la imagen correspondiente.

A

____

C

____

B

____

D

____

33 Hábitos saludables

▶ **Escucha** los diálogos entre una doctora y sus pacientes. ¿Qué debe hacer cada uno de ellos para estar bien? Escríbelo.

1. El señor Cortés: _______________
2. Alicia: _______________
3. Alberto: _______________
4. La señora Arias: _______________
5. Javier: _______________

34 Planes de futuro

▶ **Escucha** los planes de varias personas y elige la mejor opción para completar cada oración.

1. Para estar preparado, Víctor...
   a. puede tomar jarabe para la tos.
   b. debe patinar tres días a la semana.
   c. tiene que beber agua.
2. Para ayudar al señor Morales, hay que...
   a. buscar un buen curso de chino.
   b. llevarlo al médico.
   c. caminar con él por el parque.
3. Para lograr su sueño, María...
   a. tiene que estudiar Medicina.
   b. debe trabajar en un restaurante.
   c. tiene que hablar chino.
4. Para estar bien, Ruth...
   a. puede correr en los sanfermines.
   b. tiene que ir al hospital.
   c. puede practicar yoga.

35 ¿Qué ves?

▶ **Escucha** y descubre las tres diferencias entre la descripción y la imagen. Escríbelas.

1. ______________________________
2. ______________________________
3. ______________________________

Nombre: .... **Fecha:** ....

36 Vida sana

▶ **Habla** con dos compañeros(as) sobre sus hábitos saludables. ¿Qué hacen para estar sanos? ¿Con qué frecuencia? Luego, completa la siguiente tabla.

Modelo

Lisa, ¿tú qué hábitos saludables tienes?

Como verdura casi todos los días. Mis padres la preparan para cenar.

¿Y comes también fruta?

Sí, también como fruta habitualmente. Siempre sigo una dieta equilibrada y hago deporte.

Nuestros hábitos saludables			
Lisa			**Tú**
Come verduras todos los días.			
Come fruta habitualmente.			
Sigue una dieta equilibrada siempre.			
Hace deporte.			

▶ **Escribe** tus recomendaciones para estar sano y compártelas con el resto de la clase. Utiliza las expresiones *hay que*, *tener que*, *deber* y *poder* + infinitivo.

Para mantenerse sano hay que...

37 Problemas y soluciones

▶ **Habla** con tu compañero(a) sobre las personas de las imágenes. Expliquen sus problemas y háganles recomendaciones para llevar una vida más saludable, como en el modelo.

Modelo

Este chico no sigue una dieta saludable. Está comiendo un perrito caliente, con mucha mostaza, y está bebiendo un refresco con azúcar.

Sí, es verdad. Yo creo que debe seguir una dieta equilibrada. Y debe beber agua o jugos naturales.

1

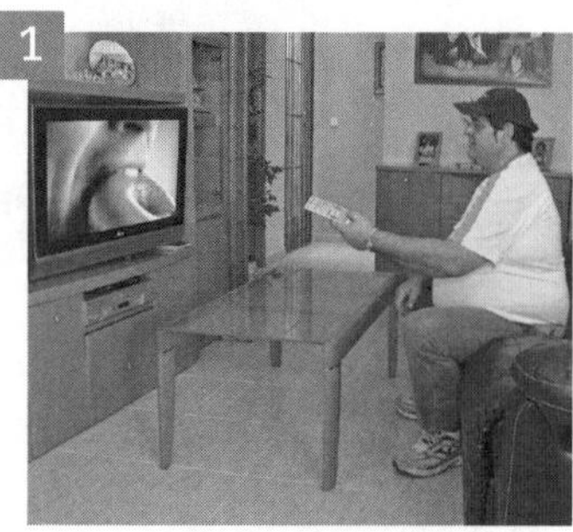

3

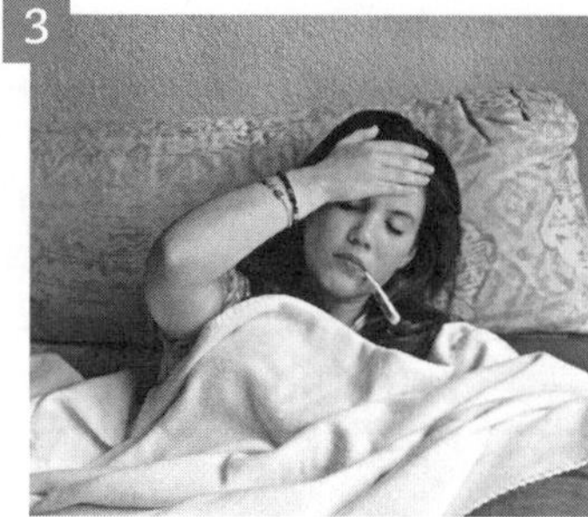

5

2

4

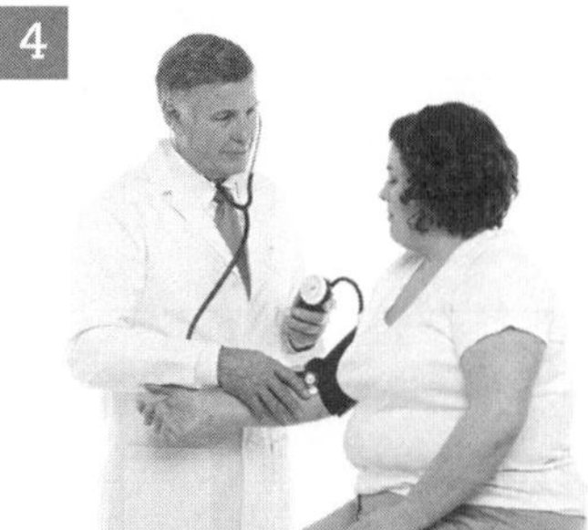

6

38 Buenos consejos

▶ **Habla** con dos compañeros(as) sobre la situación de estas personas. Denles algunos consejos para estar bien y vivir mejor.

Helen

Trabajo muchas horas. Normalmente me siento cansada y con frecuencia me duele la espalda. ¡A veces no tengo tiempo para comer!

Felipe

Vivo en una ciudad muy grande. Quiero mantenerme en forma, pero no me gusta hacer ejercicio. Me gustan el mar, la naturaleza y estar al aire libre.

Rocío

Primero quiero graduarme en la escuela. Después quiero entrar en la universidad. Pero todavía no sé qué voy a estudiar.

Nombre: .... **Fecha:** ....

39 Lo hacen así

▶ **Escucha** y relaciona con las imágenes. Escribe un adverbio en *-mente* apropiado debajo de cada fotografía. Usa los adjetivos del recuadro.

rápido ✓	*lento*	*habitual*	*frecuente*	*tranquilo*	*cuidadoso*

A

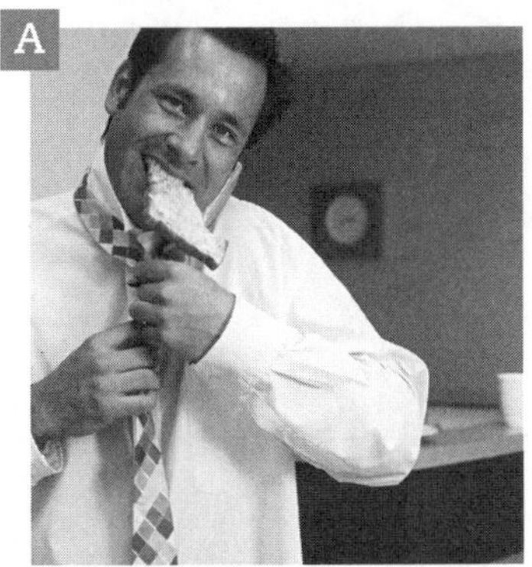

C

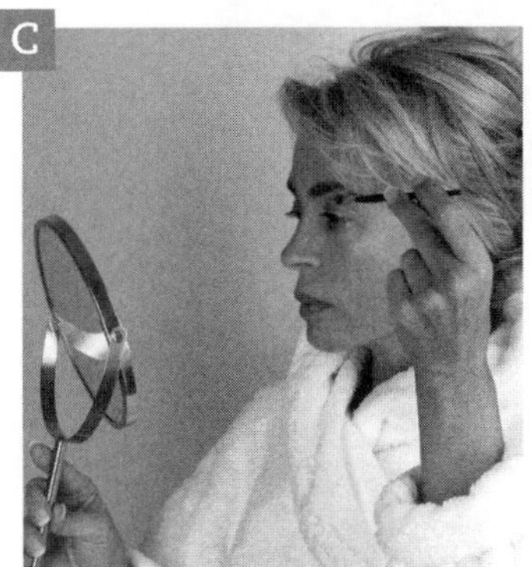

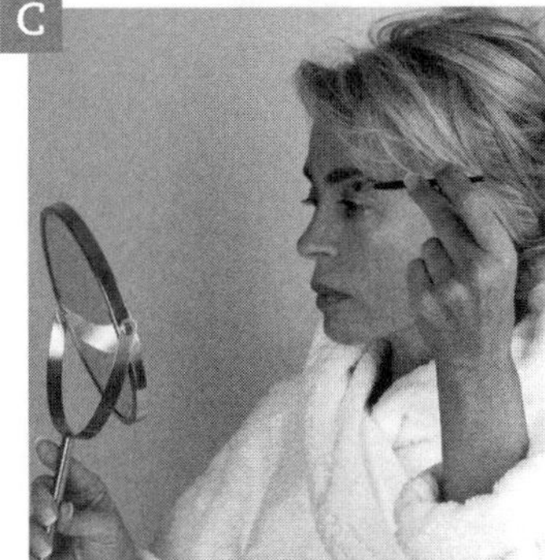

____

E

____

B

____

D

____

F

____

40 ¿Y ahora?

▶ **Escucha** qué ocurrió ayer y escribe cómo están las cosas ahora. Usa el participio pasado correspondiente.

Modelo *Sebastián rompió el secador.* → *El secador está roto.*

1. ______________________
2. ______________________
3. ______________________
4. ______________________
5. ______________________
6. ______________________

41 ¿Qué preguntas?

▶ **Escucha** las descripciones y relaciónalas con las imágenes. Escribe una pregunta para cada una de ellas usando *por* y *para*.

42 Tus recomendaciones

▶ **Escucha** las preguntas y elige la respuesta correcta.

1. a. Hay que ir al dentista.
   b. Hay que patinar.
   c. Hay que estudiar.

2. a. Tiene que ir al médico.
   b. Tiene que cortarse el pelo.
   c. Tiene que ponerse crema.

3. a. Necesito cereales.
   b. Necesito agua.
   c. Necesito champú.

4. a. Debo usar gorro y guantes.
   b. Debo usar vendas.
   c. Debo usar traje de baño.

5. a. Puedo tomar gazpacho.
   b. Puedo hablar en catalán.
   c. Puedo tomar una aspirina.

6. a. Como dulces.
   b. Monto en bicicleta.
   c. Bebo café.

Nombre: .... **Fecha:** ....

43 Cosas extrañas

▶ **Habla** con tu compañero(a). Describan esta escena en la casa de la familia Corrales. Usen participios y tomen los verbos del recuadro como guía.

Modelo

> Esta es la casa de la familia Corrales.
> Es invierno, pero la ventana está abierta.

abrir	*apagar*	*apoyar*	*dormir*	*encender*
colgar	*romper*	*pintar*	*poner*	*sentarse*

44 Para conocernos mejor

▶ **Habla** con tu compañero(a). Primero, piensa seis actividades y escríbelas. Después, pregúntale a tu compañero(a) cuándo las realiza. Luego, él/ella te pregunta a ti. No olviden responder con adverbios en *-mente*.

Modelo

> ¿Cuándo vas a la biblioteca?

> Normalmente voy a la biblioteca cuando tengo exámenes.

1. ____________________
2. ____________________
3. ____________________
4. ____________________
5. ____________________
6. ____________________

45 Problemas y soluciones

▶ **Habla** con tu compañero(a). Piensa tres problemas de salud, de estudio o de otro tipo y explica qué problema tienes. Tu compañero(a) te hace recomendaciones. Luego, cambien de papel.

Modelo

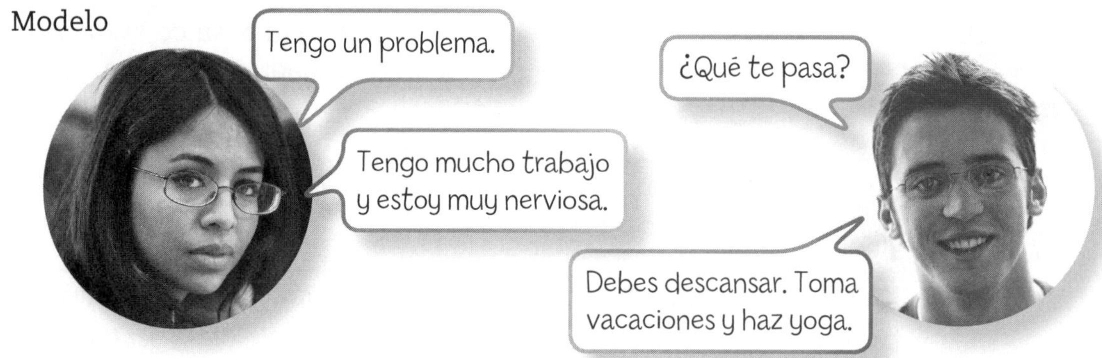

46 Gente diferente

▶ **Habla** con tu compañero(a). Elige una imagen y descríbela; tu compañero(a) tiene que adivinar de qué imagen hablas. Luego, cambien de papel. Usen participios e incluyan recomendaciones y oraciones con *por* y *para*, según la fotografía.

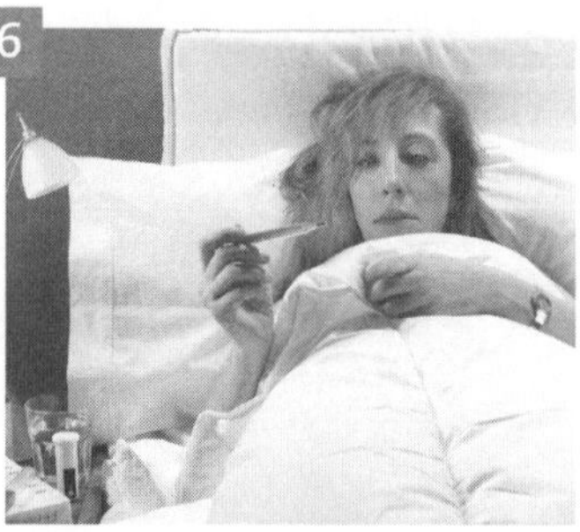

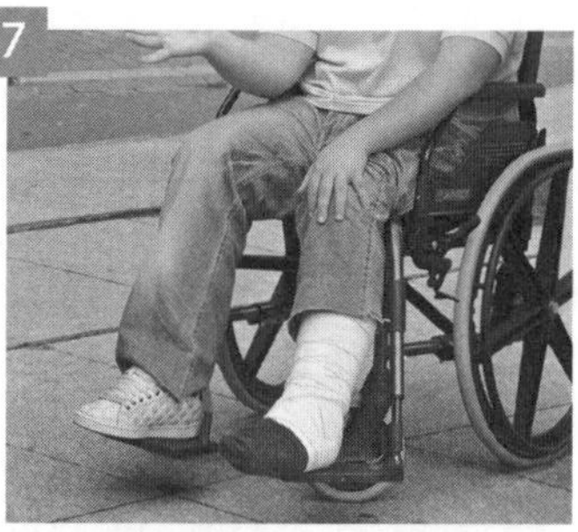

Nombre: .... **Fecha:** ....

EN BUSCA DE EL DORADO

1 Dos países hermanos

▶ **Escucha** los siguientes datos sobre Venezuela y Colombia. Indica si estas afirmaciones son ciertas (C) o falsas (F).

1. Venezuela y Colombia están en Suramérica. C F
2. Caracas es la capital de Colombia. C F
3. La capital de Colombia está en la costa. C F
4. El río Orinoco cruza Venezuela. C F
5. La bandera de Colombia es azul, amarilla y verde. C F

▶ **Escucha** de nuevo y coloca cada nombre en su lugar correspondiente del mapa.

Colombia	*Venezuela*	*Maracaibo*	*lago Maracaibo*	*Cartagena de Indias*
Caracas	*Bogotá*	*salto Ángel*	*río Orinoco*	

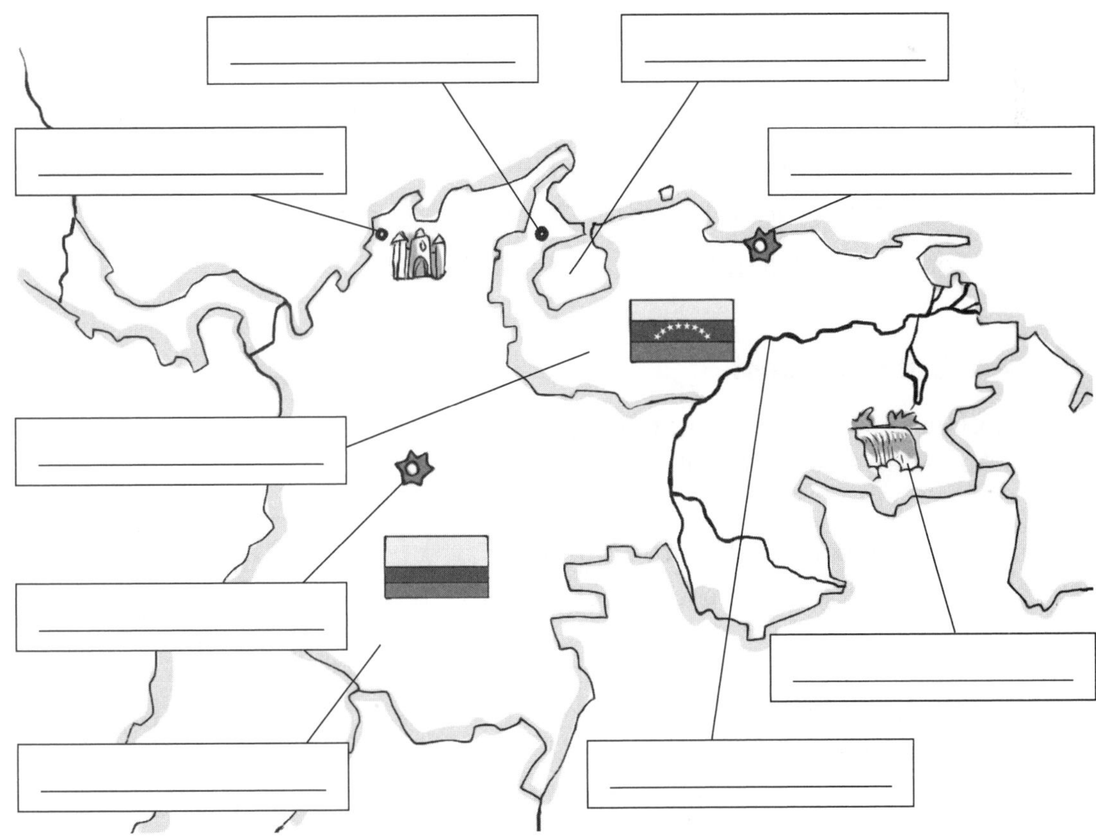

2 ¿Qué sonido es?

▶ **Escucha** y marca el sonido que oyes en cada palabra.

	SONIDO K COMO EN *CASA*	SONIDO G COMO EN *GATO*
1.		
2.		
3.		
4.		
5.		
6.		

▶ **Escucha** de nuevo y escribe las palabras que oyes.

1. ____________ 3. ____________ 5. ____________

2. ____________ 4. ____________ 6. ____________

3 Así lo oigo

▶ **Escucha** y completa las oraciones con *g*, *gu*, *c* o *qu*.

1. No ten___o ___anas de ___antar. Me duele la ___ar___anta y también la bo___a.
2. No ___iso ___omer ___rema de ___eso y no bebió ni una ___ota de a___ua.
3. Las mari___itas son inse___tos simpáti___os.
4. ¡To___a la ___itarra! Yo te a___ompaño ___on los bon___os.
5. Los ___epardos tienen ___arras afiladas.

4 ¡Dos trabalenguas!

▶ **Escucha** y repite estos trabalenguas.
¡Apréndelos de memoria!

Poquito a poquito Paquito empaca
poquitas copitas en pocos paquetes.

Trabalenguando,
trabalenguando,
te irás destrabalenguando.

Nombre: .... **Fecha:** ....

5 ¡De viaje!

▶ **Escucha** y escribe el nombre de cada persona debajo del objeto correspondiente.

____

____

____

____

____

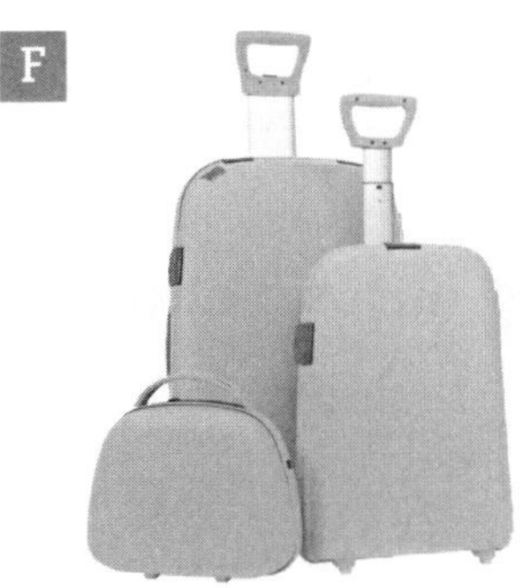

____

6 Vacaciones en Colombia

▶ **Escucha** los minidiálogos y completa las oraciones con la opción correcta.

1. Las chicas están hablando de ______________________ de los boletos.
   a. las tarifas b. los horarios c. las excursiones
2. Ángela y su amigo están ______________________.
   a. mirando un mapa b. haciendo las maletas c. leyendo un folleto
3. El padre de los chicos es ______________________.
   a. un turista b. un pasajero c. un agente de viajes
4. Cristina tiene que ______________________ para su viaje a Cartagena.
   a. hacer el equipaje b. tomar el autobús c. preguntar los horarios
5. Arturo quiere saber ______________________ del vuelo.
   a. las tarifas b. el horario c. el itinerario

7 Cuando vivía en Colombia

▶ **Escucha** las experiencias de Julián. Indica si ocurren ahora o si ocurrieron en el pasado.

	AHORA	EN EL PASADO
1. Vivir en Colombia.		
2. Vivir en Miami.		
3. Trabajar en una agencia de viajes.		
4. Hacer excursiones por el país.		
5. Nadar en la playa.		
6. Ir al cine.		
7. Pasar tiempo en casa.		
8. Tomar un autobús para ir al trabajo.		
9. Ir a pie a trabajar.		

8 Antes y ahora

▶ **Escucha** y completa el texto con las formas verbales correctas.

La vida cambia

Cuando yo ______________ pequeña, ______________ en Caracas, muy cerca del aeropuerto. Ahora ______________ en un pueblo en la región de los Llanos, cerca del río Orinoco.

Cuando ______________ en Caracas, ______________ a Maracaibo dos fines de semana al mes para visitar a mi abuela. Ahora solo ______________ en vacaciones. Pero ______________ muy contenta en los Llanos. En Caracas la vida ______________ más difícil: ¡para ir a la escuela ______________ de casa dos horas antes! Ahora ______________ solo diez minutos antes porque mi escuela ______________ muy cerca. Pero Caracas ______________ emocionante: al aeropuerto ______________ viajeros de todas partes y a mí me ______________ verlos. En mi pueblo ______________ muy pocas personas y nos ______________ muy bien. ¡______________ muy interesante vivir en sitios diferentes!

Nombre: .... **Fecha:** ....

9 En la agencia de viajes

▶ **Representa** con tu compañero(a) un diálogo entre un(a) agente de viajes y un(a) cliente(a).

Modelo

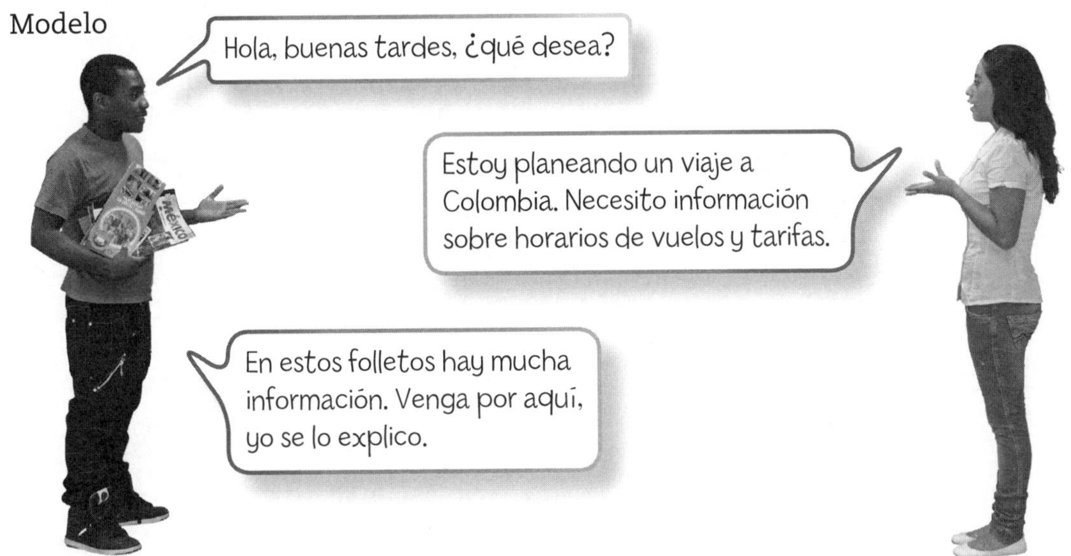

10 La maleta de Lucinda

▶ **Habla** con tu compañero(a) sobre el equipaje de Lucinda. Por turnos, comparen su maleta de hace diez años con la maleta de este año.

Modelo

11 Con la abuela en Cartagena

▶ **Habla** con tu compañero(a). ¿Cómo pasaban los veranos Rocío y Antonio cuando eran más jóvenes? Ordenen las imágenes y cuenten la historia usando el imperfecto.

12 Cuando era pequeño

▶ **Habla** con tu compañero(a). Pregúntale adónde viajaba cuando era pequeño(a) y qué hacía allí.

Modelo

Escucho español

Nombre: .... Fecha: ....

13 Antes de despegar

▶ **Escucha** la descripción y escribe el nombre de cada persona.

1. ____________ 3. ____________ 5. ____________ 7. ____________

2. ____________ 4. ____________ 6. ____________ 8. ____________

14 En el aeropuerto

▶ **Escucha** la conversación entre Lucía y Héctor en el aeropuerto. Indica si estas afirmaciones son ciertas (C) o falsas (F).

1. Héctor y Lucía viajan a Caracas en un vuelo sin escalas. C F
2. Héctor hizo la reserva en una agencia de viajes. C F
3. El boleto de Lucía es de ida y vuelta. C F
4. Lucía viaja en primera clase y tiene ya su tarjeta de embarque. C F
5. Héctor no necesita facturar el equipaje porque va en clase turista. C F

15 Servicio de información

▶ **Escucha** y completa esta tabla con la informacióm sobre los vuelos.

VUELO	ORIGEN	DESTINO	ESCALA(S)	DURACIÓN	PROBLEMAS
704	Los Ángeles.	Maracaibo.	Sí. En ciudad de Panamá y en Caracas.	Veintidós horas.	No.
706					
708					
710					

16 En el tren

▶ **Escucha** las aventuras de Sheila y completa la tabla.

ESTACIÓN	LLEGADA	SALIDA
Tijuana	—	6:00 a. m.
		—

▶ **Escucha** otra vez y responde a las siguientes preguntas.

1. ¿Bajó Sheila al andén en San Diego? ¿Por qué?

____

2. ¿Qué pasó en la estación de Escondido?

____

3. ¿Cuánto tiempo estuvo el tren en la estación de Santa Ana?

____

4. ¿Por qué duró tantas horas el viaje de Sheila?

____

Nombre: .... **Fecha:** ....

17 Adivinanzas

▶ **Habla** con tu compañero(a). Jueguen a las adivinanzas. Tú defines una palabra del recuadro y él/ella debe adivinar cuál es.

Modelo

escala	*aterrizar*	*boleto*	*despegar*
andén	*pasajero*	*vía*	*asiento*
pasillo	*auxiliar de vuelo*	*retraso*	*facturar*

18 ¡Fue horrible!

▶ **Habla** con dos compañeros(as). Imaginen el peor viaje de su vida. Cada persona añade una circunstancia.

Modelo

19 De viaje

▶ **Habla** con tu compañero(a). Cuenten qué hicieron o qué les ocurrió a estas personas el primer día de sus vacaciones. Utilicen los verbos del recuadro en el pretérito.

facturar	*dar*	*llegar*	*querer*	*poder*	*poner(se)*

1 Jaime

3 Los señores Ruiz

5 La familia Vázquez

2 Carolina

4 Gonzalo

6 Margarita

20 Viaje en tren

▶ **Habla** con tu compañero(a). Tú le haces preguntas sobre su último viaje en tren y él/ella responde. Luego, tu compañero(a) te pregunta a ti.

Modelo

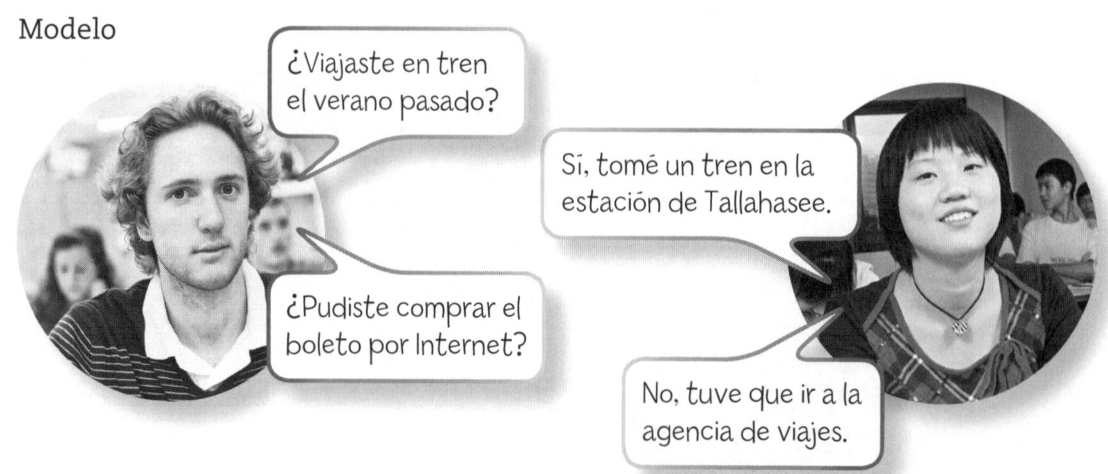

Nombre: .... **Fecha:** ....

21 En coche

▶ **Escucha** y relaciona las imágenes con los diálogos. ¿Qué parte del coche no funciona? Escribe su nombre debajo de la fotografía correspondiente.

A

____

C

____

E
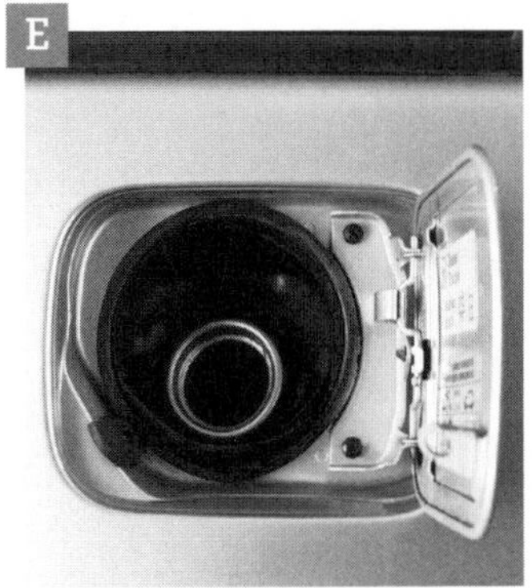

____

B

____

D

____

F

____

22 ¿Cuándo sucedió?

▶ **Escucha** a estas personas y relaciona los hechos de las dos columnas.

 A	 B
1. Cuando Juan iba conduciendo,	a. Juan frenó el coche.
2. Cuando Marisa gritó,	b. un perro cruzó la calle.
3. Mientras Marisa limpiaba al perro,	c. Marisa y Juan le dieron galletas.
4. Cuando el perro se quedó tranquilo,	d. Juan fue a comprar galletas.
5. Mientras el perro comía,	e. Juan arrancó el coche.

23 ¿Qué tienen que hacer?

▶ **Escucha** a estas personas y elige la opción correcta.

1. Juan tiene que...
   a. arrancar el coche. b. estacionar el coche. c. llenar el tanque de gasolina.
2. Luisa tiene que...
   a. poner una multa. b. encender los faros. c. estacionar el coche.
3. Ricardo tiene que...
   a. poner una multa. b. ponerse el cinturón. c. revisar el motor.
4. Jimena tiene que...
   a. ir a la gasolinera. b. buscar un instructor. c. arrancar el coche.
5. Laura tiene que...
   a. arrancar el coche. b. buscar un instructor. c. revisar las ruedas.

24 Una multa

▶ **Escucha** el diálogo entre un conductor y un policía. Indica si estas afirmaciones son ciertas (C) o falsas (F) y corrige las falsas.

1. El policía le pidió la licencia de conducir al conductor. C F
   ____
2. El conductor no hizo nada mal. C F
   ____
3. El conductor manejaba a setenta y cinco millas por hora. C F
   ____
4. El conductor llevaba puesto el cinturón de seguridad. C F
   ____
5. El conductor tiene la licencia desde hace muchos años. C F
   ____
6. El policía le puso una multa al conductor. C F
   ____

Nombre: .... **Fecha:** ....

25 ¿Qué hacían y qué pasó?

▶ **Habla** con tu compañero(a). Digan qué hacían estos personajes y qué ocurrió en cada una de las situaciones.

Modelo

Cuando la chica estaba leyendo, sonó el teléfono.

Mientras leía, la chica comía galletas.

1

3

5

2

4

6

26 Experiencias en coche

▶ **Habla** con tu compañero(a) sobre algunas experiencias en el coche.

Modelo

Una vez mi familia y yo fuimos a Washington DC en coche. Mi papá manejaba. Hacía mucho viento y cerramos todas las ventanillas...

27 La historia de Lucas

▶ **Habla** con dos compañeros(as). Cuenten lo que le pasó a Lucas Rodríguez siguiendo el orden de las imágenes.

Modelo

Nombre: .... **Fecha:** ....

28 El viaje de Nicanor

▶ **Escucha** las experiencias de Nicanor Domínguez en su viaje de negocios a Colombia. Indica si estas afirmaciones son ciertas (C) o falsas (F).

1. Nicanor pidió a la recepcionista una habitación doble. C F
2. Nicanor quiso cambiar dinero en el hotel, pero no pudo. C F
3. Nicanor sacó dinero en el cajero automático del hotel. C F
4. Nicanor no habló con ningún huésped del hotel. C F
5. Nicanor pagó con un cheque y entregó la llave de su habitación. C F

29 En la habitación

▶ **Escucha** lo que les pasó a Marta y a Raquel en el hotel. Para cada pregunta, elige la imagen correcta y escribe la respuesta.

1. ¿Qué tipo de habitación pidió Marta a la recepcionista?

   ____

A 

B 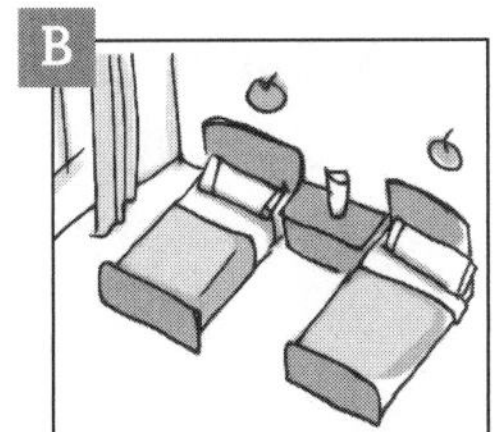

2. ¿Qué pidió Raquel cuando llamó a la recepción?

   ____

A 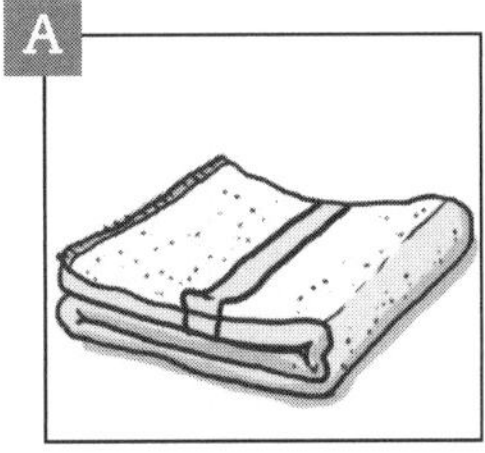

B 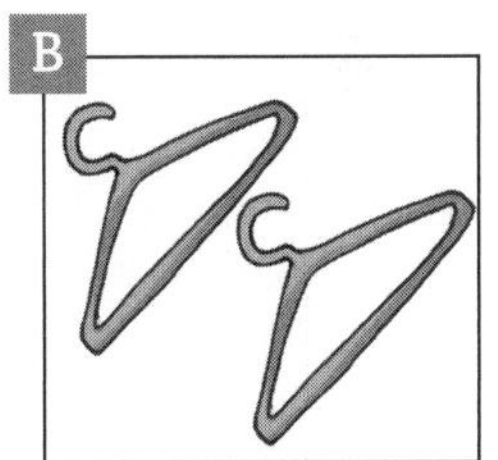

3. ¿Qué olvidó Raquel cuando salió de la habitación?

   ____

A 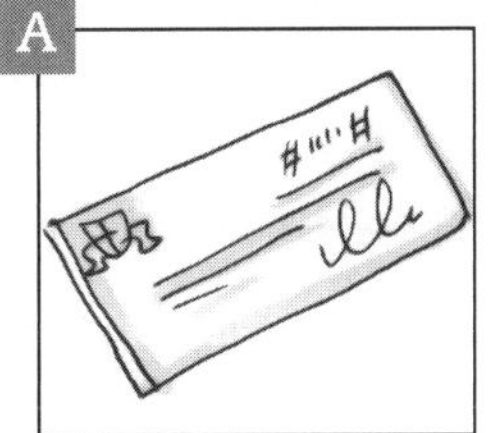

B 

4. ¿Adónde fueron Raquel y Marta antes de ir de compras?

   ____

A 

B 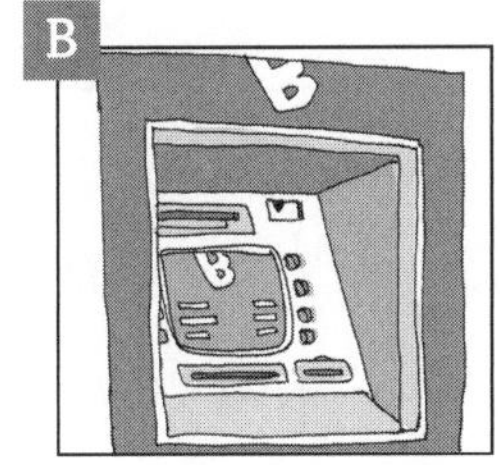

30 Una ciudad maravillosa

▶ **Escucha** a Sabrina. Ella habla sobre su viaje a Cartagena de Indias. Luego, responde a las preguntas.

1. ¿Qué tiempo hacía en Cartagena cuando el avión aterrizó?

____

2. ¿Cómo fue Sabrina al hotel?

____

3. ¿Cómo era la habitación de Sabrina?

____

4. ¿Qué hizo Sabrina cuando ya tenía todo?

____

5. ¿Qué hizo mientras paseaba?

____

▶ **Escucha** de nuevo. ¿Qué tres objetos no había en la habitación? Dibújalos y escribe sus nombres.

_______________ _______________ _______________

31 En la recepción del hotel

▶ **Escucha** y relaciona a cada persona con la acción correspondiente.

(A)	
1. Mercedes	a. fue a cambiar dinero.
2. Asun	b. fue a sacar dinero.
3. Enrique	c. pagó con un cheque.
4. Pedro	d. hizo una reserva.

Nombre: .... **Fecha:** ....

32 De memoria

▶ **Habla** con tres compañeros(as). Intenten recordar qué hacían en estos momentos.

Modelo

Cuando España ganó el Mundial de Fútbol, yo estaba haciendo los deberes. ¿Y tú?

1. Cuando el presidente ganó las elecciones, yo...
2. Cuando nació mi hermano, yo...
3. El primer día de escuela, yo...
4. La noche de la Super Bowl, yo...
5. Anoche, yo...

33 Un relato

▶ **Inventa** un relato con tu compañero(a) y escríbelo. Les damos algunos ingredientes del relato. Luego, presenten su relato al resto de la clase.

mucha lluvia	*un hombre sin llaves de casa*
un perro peligroso	*un coche sin faros*
un hotel abandonado	*una recepcionista muy rara*

34 Problemas en el hotel

▶ **Habla** con tu compañero(a). Imaginen problemas en un hotel relacionados con estas situaciones y formulen quejas, como en el modelo.

Modelo

Ayer, cuando bajé a desayunar, no había café. ¡Y era muy temprano!

1

2

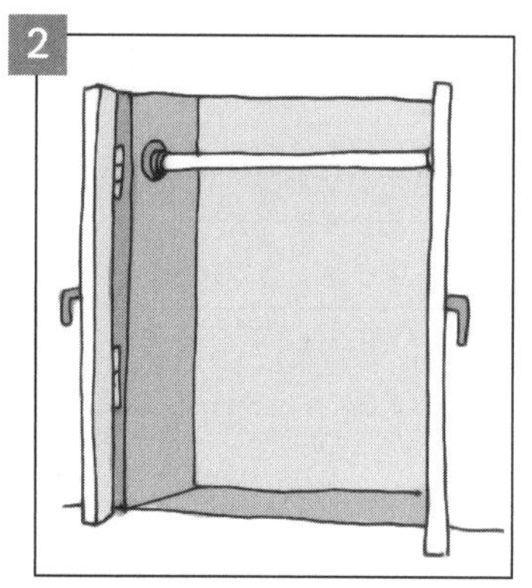

3

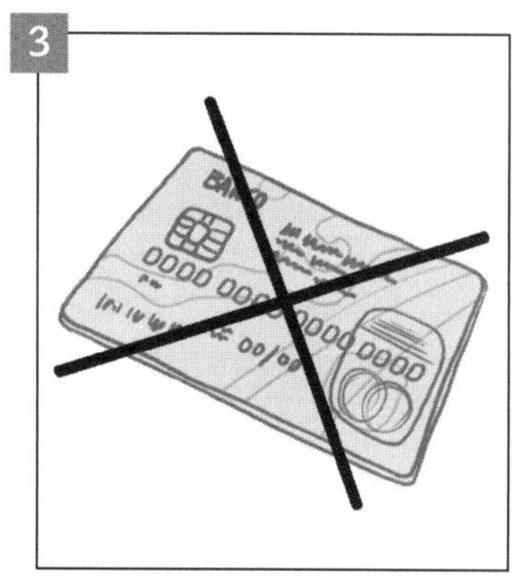

4

5

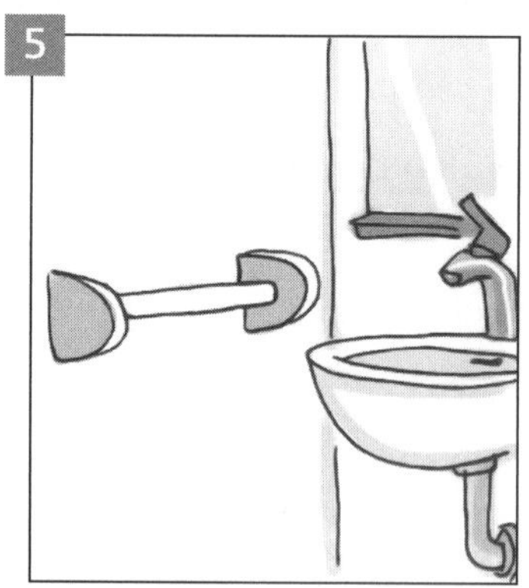

6

7

8

9

Nombre: .... **Fecha:** ....

35 Medios de transporte

▶ **Escucha** las experiencias de cuatro personas en diferentes medios de transporte. Escribe el nombre de cada persona debajo de la imagen correspondiente.

A

____

C

____

B

____

D

____

36 ¡Problemas!

▶ **Escucha** a estas personas y escribe qué problemas tuvieron.

1. Felipe ____________________
2. Marina ____________________
3. Los señores Pérez ____________________
4. Simón ____________________

37 ¡Pobre David!

▶ **Escucha** las experiencias de David en su viaje a Venezuela y corrige las oraciones.

1. David llegó con retraso al aeropuerto.

   ____

2. David tenía dinero en efectivo.

   ____

3. El cajero automático funcionaba perfectamente.

   ____

4. El vuelo a Caracas duró cuatro horas.

   ____

5. David fue en metro al hotel.

   ____

6. David quería una habitación doble.

   ____

38 ¿Qué me llevo?

▶ **Escucha** la conversación entre María y Laura. ¿Qué objetos necesita María para su viaje? Rodéalos con un círculo.

maleta	bolsa	folleto
licencia de conducir	chaleco salvavidas	llaves
cheques	toalla	mapa

▶ **Escucha** de nuevo la conversación y completa las oraciones.

1. María tiene que hacer ______________. Va a viajar por toda Venezuela y va a llevarse ______________.
2. María necesita también su ______________ porque quiere alquilar un coche. ¡Y para no perderse!
3. María quiere ir a la playa, por eso va a llevarse ______________.
4. María va a llevar dinero en efectivo y también ______________.

Nombre: .... **Fecha:** ....

39 Mis últimas vacaciones

▶ **Habla** con tu compañero(a). Por turnos, hagan estas preguntas y respondan.

1. ¿Adónde viajaste en tus últimas vacaciones?
2. ¿En qué fuiste?
3. ¿Cómo fue el viaje?
4. ¿Qué hiciste allí?
5. ¿Dónde te alojaste?
6. ¿Qué fue lo que más te gustó? ¿Por qué?

40 La vida cambia

▶ **Habla** con tu compañero(a). ¿Qué cosas de tu aspecto, de tu vida, de tu familia o de tu ciudad cambiaron en los últimos años? Escríbelas en la tabla y habla con tu compañero(a) sobre esos cambios. Compartan sus listas. ¿Tienen cosas en común?

Modelo

Cuando era pequeña llevaba el pelo corto y ahora lo llevo largo.

Yo ahora llevo gafas y antes no llevaba.

	ANTES	AHORA
1. Tu aspecto físico		
2. Tu ropa		
3. Tu familia		
4. Tus mascotas		
5. Tus amigos		
6. Tu escuela		
7. Tu ciudad		
8. Tus gustos y costumbres		

41 Vacaciones diferentes

Habla con dos compañeros(as) sobre las vacaciones de la familia Puente y las de los señores Vázquez. Usen las preguntas de la ficha como guía. Cuenten las historias por separado y luego compárenlas.

Modelo

La familia Puente viajó en coche desde Caracas al Parque Nacional de Canaima.

Los señores Vázquez viajaron en avión a la isla Margarita.

Mientras el señor Puente revisaba el motor y las ruedas del coche para el viaje, los señores Vázquez facturaban su equipaje en el aeropuerto.

La familia Puente

El Parque Nacional de Canaima

Los señores Vázquez

La isla Margarita

1. ¿Adónde fueron de vacaciones?
2. ¿Qué equipaje llevaron? ¿Qué objetos metieron en su equipaje?
3. ¿Con qué medio de transporte viajaron?
4. Cuando llegaron a su destino, ¿cómo fueron al hotel?
5. ¿Cómo eran sus habitaciones? ¿Cómo hicieron la reserva? ¿Cómo pagaron?
6. ¿Qué hicieron en su lugar de vacaciones? ¿Qué les ocurrió?

Nombre: ______________________ **Fecha:** __________

POR LA CUENCA DEL PARANÁ

1 Bienvenidos al Río de la Plata

▶ **Escucha** la información y completa las oraciones.

1. Argentina, Uruguay y Paraguay están en ____________________.
2. El Río de la Plata está formado por la unión del ____________________ y el ____________________.
3. Las ciudades de ____________________ y ____________________ están a un lado y a otro del Río de la Plata.
4. ____________________ está más al norte y tiene salida al Río de la Plata a través del ____________________.
5. En ____________________ se habla guaraní.
6. El tango es la música y el baile de ____________________.

▶ **Escucha** y ubica los elementos en el mapa. Escribe en cada círculo el número correspondiente.

1. *Argentina*
2. *Uruguay*
3. *Paraguay*
4. *Montevideo*
5. *Buenos Aires*
6. *Asunción*
7. *Río de la Plata*
8. *río Paraná*
9. *río Uruguay*

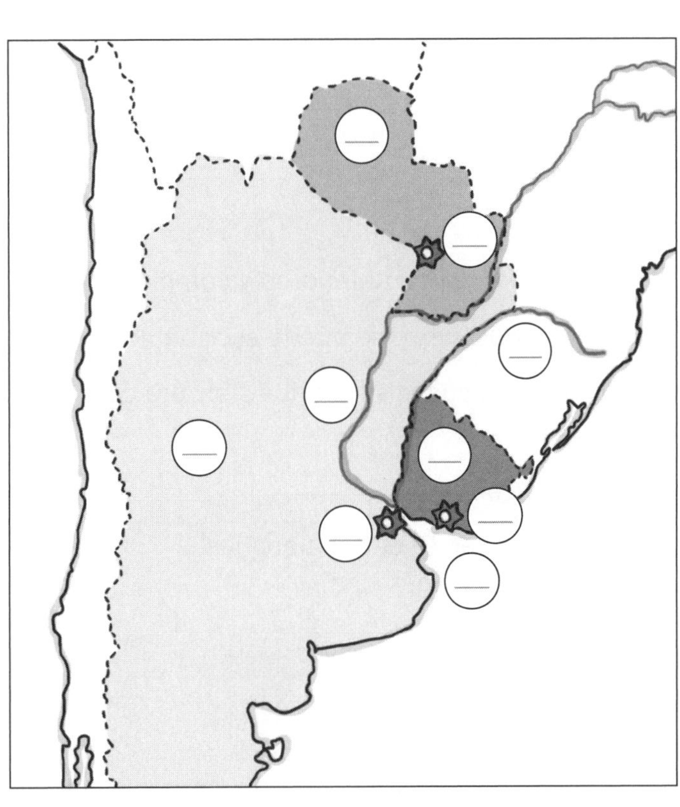

2 El sonido R

▶ **Escucha** y marca el sonido que oyes: R fuerte, como en *carro*, o R suave, como en *caro*.

	R FUERTE (*CARRO*)	R SUAVE (*CARO*)
1. rana		
2. caracol		
3. morena		
4. morro		
5. repetir		
6. palabra		

3 Erre que erre

▶ **Escucha** y rodea las palabras que oyes.

1. pera / perra
2. caro / carro
3. coro / corro
4. Israel / Ismael
5. oro / horror
6. frotar / flotar
7. cero / cerro
8. carta / cata

4 Dictado

▶ **Escucha** y escribe las oraciones.

1. ______________________________
2. ______________________________
3. ______________________________
4. ______________________________

▶ **Lee** las oraciones anteriores y completa.

El sonido R fuerte se puede escribir con ________ y con ________.

El sonido R suave se escribe siempre con ________.

5 Trabalenguas

▶ **Escucha** y repite el trabalenguas. ¡Apréndelo de memoria!

Una palabra grandota
que de la boca brota
y por el aire rebota
¡es una palabrota!

Nombre: ______________________ **Fecha:** ____________

6 El primer día en la escuela

▶ **Escucha** al director de la Escuela Paraguay. Marca con números su recorrido por la escuela siguiendo el orden de su explicación. Luego, escribe el nombre de cada lugar marcado.

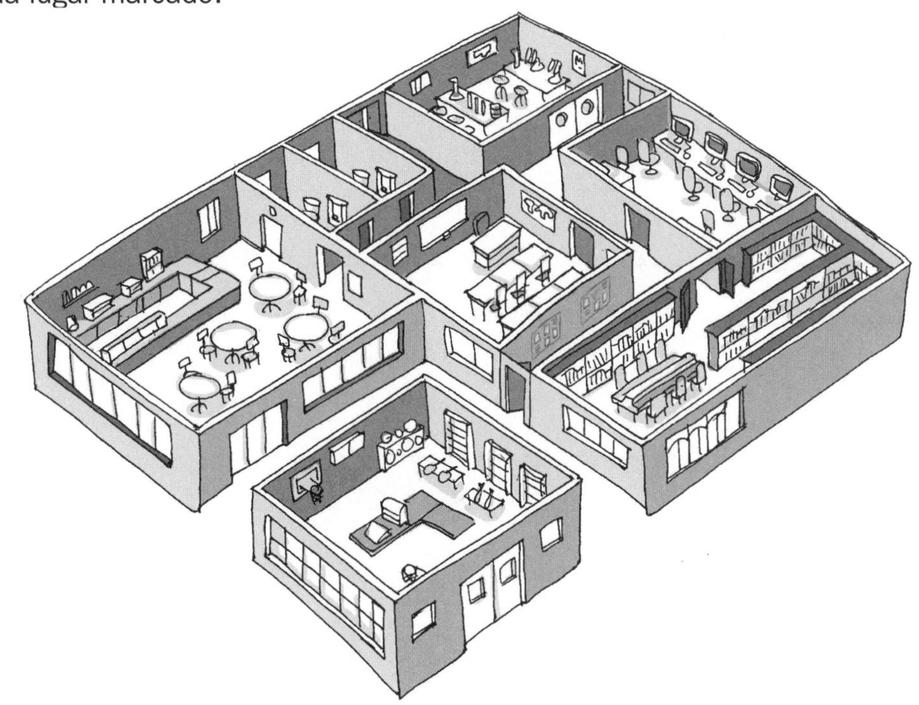

1. ______________________
2. ______________________
3. ______________________
4. ______________________
5. ______________________
6. ______________________

7 ¿Hay o no hay?

▶ **Escucha** las descripciones y escribe debajo de cada dibujo el nombre de la escuela correspondiente.

8 El horario de Matías

▶ **Escucha** el horario de Matías y escribe qué clases tiene cada día y en qué lugares.

	LUNES	MARTES	MIÉRCOLES	JUEVES	VIERNES
9:00 a. m.					
10:00 a. m.					
11:00 a. m.					
ALMUERZO					

9 ¿Qué hay en nuestra escuela?

▶ **Escucha** la conversación e indica si las siguientes afirmaciones son ciertas (C) o falsas (F). Luego, corrige las afirmaciones falsas.

1. No hay nadie en el gimnasio. C F

___

2. Susana y Raúl necesitan algo más para jugar al tenis. C F

___

3. Ningún estudiante está jugando al tenis. C F

___

4. Hay alguien en la cancha. C F

___

5. En el gimnasio no hay nada para jugar al tenis. C F

___

6. Algún estudiante compró pelotas nuevas. C F

___

Nombre: ______________________________ **Fecha:** ______________

10 El juego de las adivinanzas

▶ **Habla** con tu compañero(a). Tú eliges una imagen y tu compañero(a) debe adivinar qué imagen es. Él/ella te hace preguntas y tú respondes sí o no.

Modelo

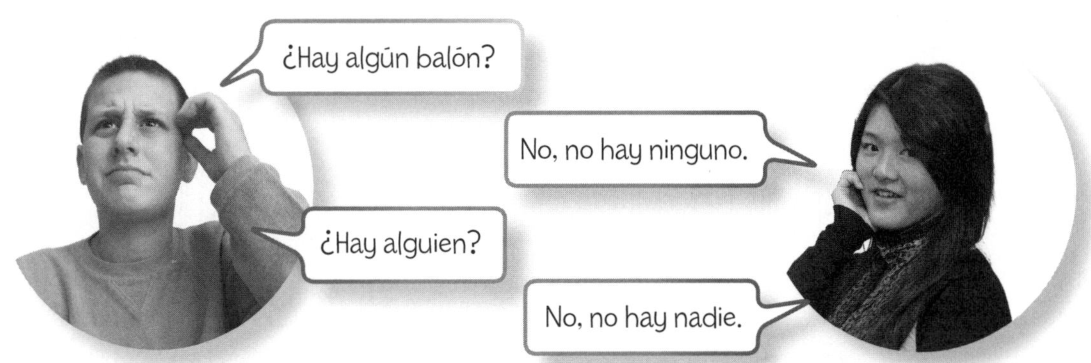

A  C  E

B  D  F

11 ¿Jugamos?

▶ **Habla** con tres compañeros(as). Cada uno(a) debe decir una oración sobre la imagen y repetir las oraciones de sus compañeros(as). ¡No olviden ninguna oración!

Modelo

12 Tu aula, tu horario...

▶ **Habla** con tu compañero(a). Hazle estas preguntas. Luego, él/ella te pregunta a ti.

1. ¿En qué aulas tienes clase?
2. ¿Cómo es tu horario escolar?
3. ¿Qué lugar de la escuela prefieres?
4. ¿Cuáles son tus asignaturas favoritas?

Nombre: ______________________ **Fecha:** __________

13 ¿A quién acudimos?

▶ **Escucha** y elige la profesión adecuada para las necesidades de cada persona.

1. a. cirujano
   b. cantante
   c. profesor
2. a. pintor
   b. técnico informático
   c. bombero
3. a. cantante
   b. actriz
   c. profesora
4. a. socorrista
   b. bombera
   c. cirujana
5. a. dentista
   b. agricultor
   c. bibliotecario
6. a. policía
   b. mecánica
   c. entrenadora
7. a. técnico informático
   b. agricultor
   c. arquitecto
8. a. cirujana
   b. socorrista
   c. dentista
9. a. cantante
   b. dentista
   c. pintor

14 Mujeres trabajadoras

▶ **Escucha** a estas mujeres y escribe sus nombres.

A

____

B

____

C

____

C

____

▶ **Escucha** de nuevo. ¿Qué querían ser estas mujeres cuando eran niñas? Relaciona cada persona con un dibujo y escribe el nombre de la profesión.

1. Sandra __________
2. Laura __________
3. Lidia __________
4. Virginia __________

A
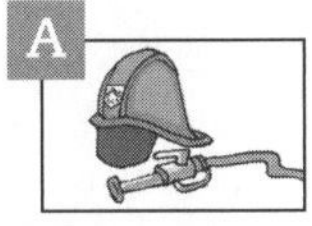

B
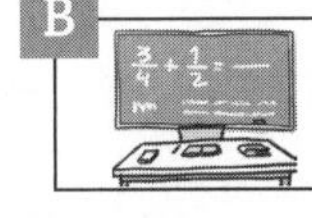

C

D

15 El futuro de Orlando

▶ **Escucha** y responde a las siguientes preguntas.

1. ¿Qué quiere ser Orlando de mayor?

   ____

2. ¿Por qué Orlando quiere tener esa profesión?

   ____

3. ¿Qué profesión le gusta a la mamá de Orlando?

   ____

4. ¿Qué profesión prefiere Orlando si no puede ser bombero?

   ____

5. Según la mamá de Orlando, ¿quién debe decidir sobre el futuro de Orlando?

   ____

16 Clase de canto

▶ **Escucha** el diálogo y ordena las acciones.

_____ El profesor quiere que Marisa escuche con atención.

_____ Marisa quiere que el profesor cante más despacio.

_____ El profesor quiere que Marisa toque el piano.

_____ Marisa quiere cantar ya.

_____ Marisa no quiere que el profesor grabe la clase.

_____ El profesor quiere que Marisa practique en casa.

17 ¡Vamos a entrenar mucho!

▶ **Escucha** y escribe quién dice cada cosa: Óscar o la entrenadora.

1. Yo no quiero entrenar los viernes. → ______________
2. Quiero que golpees la pelota muy fuerte. → ______________
3. Yo prefiero jugar al fútbol. → ______________
4. De mayor, quiero ser tenista. → ______________
5. Antes quería ser futbolista. → ______________

Nombre: ______________________ **Fecha:** ____________

18 Tu futuro

▶ **Habla** con tu compañero(a). ¿Qué profesiones les gustan? ¿Por qué? Hablen también de las profesiones de sus familiares.

Modelo

Yo quiero ser cirujana como mi tía. Me gusta ayudar a la gente. ¿Y tú?

Yo prefiero las artes. Me encanta el teatro, pero en mi familia no hay ningún actor. ¿Cuál es la profesión de tus padres?

19 Quiero que usted...

▶ **Habla** y representa con tu compañero(a) breves diálogos con los profesionales de las fotografías. Digan qué quieren, esperan o desean de cada uno.

Modelo

Señor López, deseo que pinte un cuadro de mi familia.

Muy bien. ¿Cuándo quiere tener el cuadro?

1

3

5

2

4

6

20 ¿Quién hace cada tarea?

▶ **Habla** con tu compañero(a) sobre la lista de tareas de la señora Maldonado. Indiquen cómo va a repartir las tareas.

Modelo

Julio → cortar el césped
Marisa y Susana → limpiar la cocina
Juan y yo → sacudir los muebles
Yo → comprar verduras
Julio y Susana → cocinar
Susana y yo → pasear al perro
Marisa → sacar la basura

21 Deseos

▶ **Habla** con tu compañero(a). Por turnos, haz propuestas y responde a las propuestas de tu compañero(a) expresando un deseo diferente. Usen las imágenes como guía.

Modelo

¿Quieres que nos bañemos en la piscina?

No, prefiero que toquemos juntos el piano.

1

4

2

5

3

6

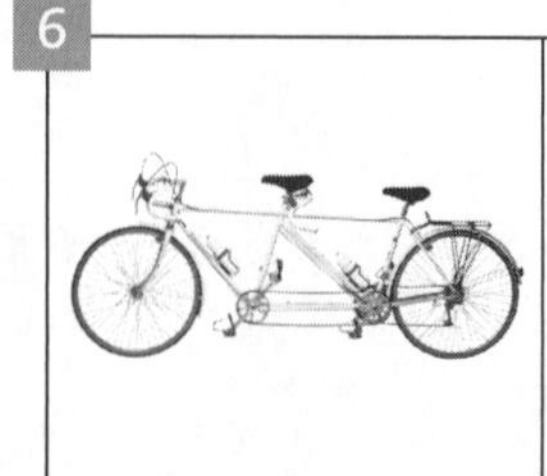

Nombre: ______________________ **Fecha:** ____________

22 ¿Le gusta o le molesta?

▶ **Escucha** a Ignacio. ¿Qué actividades le gustan? ¿Y cuáles le molestan? Marca con ✓ o con ✗.

☐ 

☐ 

☐ 

☐ 

☐ 

☐ 

23 Fiesta familiar

▶ **Escucha** a Luz Aguilar y completa la tabla.

	LE(S) GUSTA	LE(S) PREOCUPA	LE(S) MOLESTA
A Luz Aguilar			
A Julio			
A Sandra			
A Elisa y a Jaime			
A Fernando			

24 Deberes y aficiones

▶ **Escucha** la conversación entre Sofía y Eduardo. Después, completa las oraciones.

1. A Sofía le alegra que Eduardo ______.
2. A Eduardo le sorprende que Sofía ______.
3. A Sofía le encanta ______.
4. A Sofía le da miedo que Eduardo ______.
5. Sofía siente que ______.
6. A Eduardo le preocupa que ______.

25 Las vacaciones de Sara

▶ **Escucha** el mensaje de Sara y ordena las siguientes actividades de acuerdo con sus planes.

▶ **Escucha** de nuevo el mensaje y responde a las preguntas.

1. ¿Qué le da pena a Sara?

______

2. ¿Qué le encanta a Sara?

______

3. ¿Qué le sorprende a Sara?

______

4. ¿Qué siente Sara?

______

5. ¿Qué le preocupa a Sara?

______

6. ¿Qué le alegra a Sara?

______

Nombre: ______________________ **Fecha:** __________

26 Aficiones y actividades

▶ **Habla** con tres compañeros(as) sobre sus actividades preferidas. Pueden hablar de deportes, juegos de mesa, viajes, etc. Expliquen cuándo, dónde y con quién hacen esas actividades.

Modelo

Mi actividad favorita es ir al cine. Me gustan mucho las películas en español. Generalmente, voy al cine los sábados con mis amigos.

27 Me alegra que hablemos

▶ **Habla** y representa con tu compañero(a) breves diálogos entre las personas de las imágenes usando expresiones del recuadro.

Modelo

Doctora, me duele esta muela.

Siento que tengas dolor, pero me alegra que vengas al dentista...

Me alegra...	*Me molesta...*
Me preocupa...	*Me da miedo...*
Me encanta...	*Me sorprende...*
Siento...	*Me da pena...*

1

2

3

4

28 ¿Qué sienten?

▶ **Habla** con tu compañero(a) sobre los personajes del dibujo. Indiquen qué les gusta hacer y qué sentimientos les producen las acciones.

Modelo

A Juan le gusta patinar.

A la señora García le da miedo que Juan se caiga.

29 Muy educado

▶ **Habla** con tus compañeros(as). Diles qué quieres, deseas o esperas que hagan. Ellos(as) responden como en el modelo.

Modelo

Nombre: ______________________ **Fecha:** __________

30 Deportistas

▶ **Escucha** y escribe el nombre de cada deportista debajo de la imagen correspondiente.

A

____

C

____

E

____

B

____

D

____

F

____

31 La clase de Educación Física

▶ **Escucha** al profesor de Educación Física. ¿Qué deportes van a practicar este año? Rodéalos con un círculo.

alpinismo senderismo tenis esquí baloncesto
voleibol béisbol golf fútbol

32 Deportes en la radio

▶ **Escucha** los comentarios del programa deportivo y marca si el locutor expresa duda o certeza.

	Duda	Certeza
1. El equipo Los Elefantes va a ganar el campeonato.		
2. El equipo Escuela Sur va a ganar la carrera.		
3. Rogelio Blanco no va a ganar el torneo.		
4. Rinaldo Roca puede levantar pesas de 250 kilos.		
5. Boca y River van a empatar el domingo.		
6. Marisa Montes no va a ganar esta competición.		
7. Hacer gimnasia es bueno para la salud.		
8. Van a suspender el campeonato anual de surf.		

33 Preguntas y respuestas

▶ **Escucha** las preguntas y completa las respuestas utilizando el subjuntivo.

1. Es probable que Ricardo Rojas ________________ en el gimnasio.
2. No creo que el señor Polo ________________ entrenar al equipo.
3. Es imposible que Jaime ________________ un buen jugador de baloncesto.
4. No estoy seguro de que Rocío ________________ al Aconcagua este año.
5. Quizás Juanes ________________ un concierto en Argentina este verano.

34 Consejos de una entrenadora personal

▶ **Escucha** y relaciona cada consejo con el dibujo correspondiente.

________________ ________________ ________________

Nombre: ______________________ **Fecha:** ____________

35 Deportes favoritos

▶ **Habla** con cinco compañeros(as). ¿Qué deportes les gusta ver? ¿Qué deportes les gusta practicar? Anota las respuestas en el diagrama y preséntalas al resto de la clase.

Deportes para ver **Deportes para practicar**

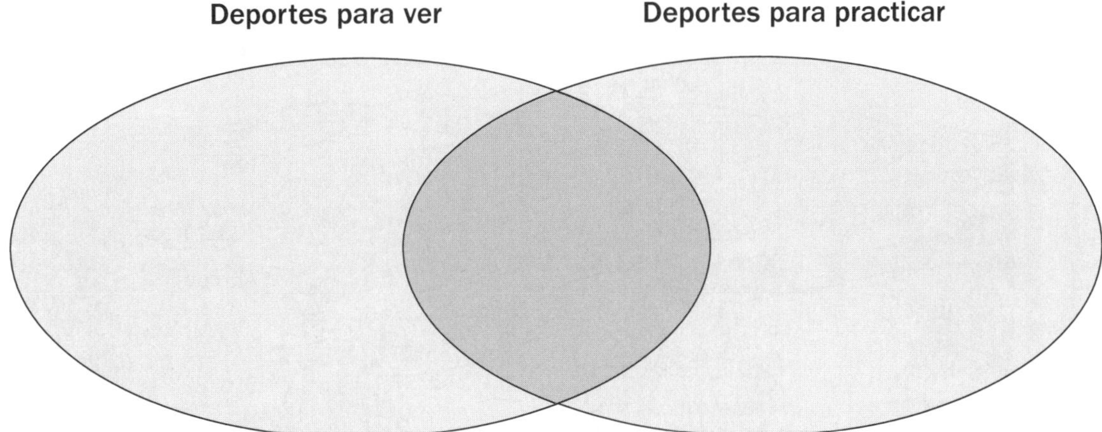

36 Un partido emocionante

▶ **Habla** con tu compañero(a). ¿Qué ocurre en este partido de fútbol americano? Imaginen que son locutores deportivos y den sus opiniones a partir de las imágenes.

Modelo

Yo no creo que el equipo local gane el partido.

Es increíble que haya tantos jugadores en el suelo.

37 En la playa

▶ **Habla** con tu compañero(a). Por turnos, den opiniones o consejos a partir de la imagen. Usen las expresiones del recuadro.

Modelo

Es necesario que...	*Es horrible que...*
Es importante que...	*Es bueno que...*
Es increíble que...	*Es malo que...*

¡Es increíble que haya tanta gente en la playa!

Lucas, Mario, Alfredo, Lori, David, Fran, Ana, Mónica, Rudy, Rafa, Alex, Adriana, Marco

38 Cadena de deseos

▶ **Habla** con tus compañeros(as). Un(a) estudiante expresa un deseo; el(la) siguiente le da un consejo y expresa otro deseo, como en el modelo.

Modelo

Nombre: ______________________ **Fecha:** ____________

39 Lugares de la escuela

▶ **Escucha** a algunos estudiantes de una escuela de Argentina y escribe el número de cada diálogo debajo del dibujo correspondiente.

____

____

____

____

____

____

40 A cada uno su oficio

▶ **Escucha** y relaciona cada persona con su profesión.

1. Luisa Pérez	a. bombero
2. Hugo Donés	b. socorrista
3. Victoria Real	c. cantante
4. Fabián	d. entrenador
5. Héctor	e. telefonista

41 Aficiones

▶ **Escucha** la conversación entre Marcos y Vanesa. Indica si estas afirmaciones son ciertas (C) o falsas (F). Luego, corrige las afirmaciones falsas.

1. A Marcos le encanta el béisbol. C F

   ____

2. A Vanesa no le interesan los deportes. C F

   ____

3. A Marcos le sorprende que a Vanesa le gusten los deportes. C F

   ____

4. La afición preferida de Vanesa es coleccionar monedas. C F

   ____

5. Marcos quiere coleccionar sellos de deportistas famosos. C F

   ____

42 Canal Profesiones

▶ **Escucha** a la socorrista Celia Flórez en un programa de televisión. Luego, responde a las preguntas.

1. ¿Qué quería ser Celia de niña?

   ____

2. ¿Qué pensaba su mamá?

   ____

3. ¿A qué se dedica Celia? ¿Le gusta su trabajo?

   ____

4. ¿Qué le preocupa a Celia en su trabajo?

   ____

5. ¿Qué le gusta hacer a Celia en su tiempo libre?

   ____

6. ¿Qué va a hacer Celia en sus vacaciones de verano?

   ____

Nombre: ______________________________ Fecha: ______________

43 Impresiones y sentimientos

▶ **Habla** con tu compañero(a). Expresen sentimientos a partir de estas imágenes. Usen los verbos del recuadro.

Modelo

Me molesta que mi hermano ponga la música tan alta.

¡A mí me sorprende que alguien pueda escuchar la música tan alta!

alegrar	*encantar*	*molestar*	*preocupar*
sentir	*sorprender*	*dar pena*	*dar miedo*

1

3

5

2

4

6

44 El año que viene

▶ **Habla** con tres compañeros(as) sobre las cosas que esperan para el año que viene. Digan tres deseos cada uno.

Modelo

Espero que el año que viene los profesores sean muy buenos.

Yo espero que el año que viene mis padres me lleven a la Patagonia.

45 Nuestros gustos

▶ **Habla** con tres compañeros(as). ¿Qué les da pena? ¿Qué les molesta? ¿Qué les encanta? Luego, digan qué le encanta y qué le molesta a su mejor amigo(a).

Modelo

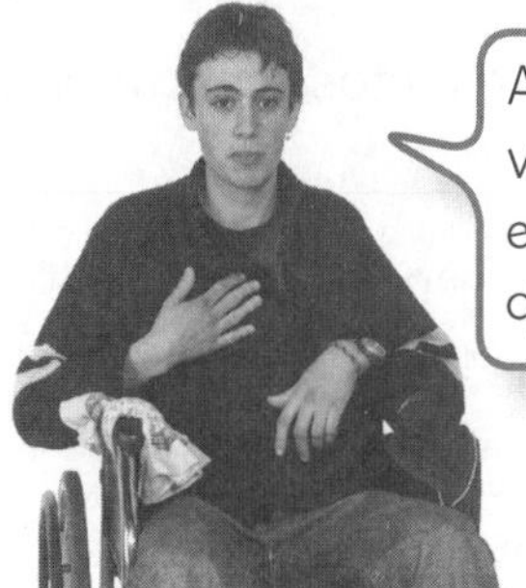

A mí me da pena que no haya más vacaciones. Me molesta que mi hermana escuche la música muy fuerte. ¡Me encanta que mis padres me lleven a la playa!

46 Certezas y dudas

▶ **Habla** con tu compañero(a). Expresen duda o certeza en relación con las situaciones de las imágenes. Usen expresiones del recuadro.

Modelo

Estoy seguro de que Argentina va a ganar el partido.

Es evidente que los jugadores están emocionados.

Es evidente que...	*Es probable que...*	*Es imposible que...*	*Dudo que...*
Quizás...	*Estoy seguro de que...*	*Sé que...*	
Es cierto que...	*Es verdad que...*	*Es posible que...*	*No dudo que...*

A

C

E

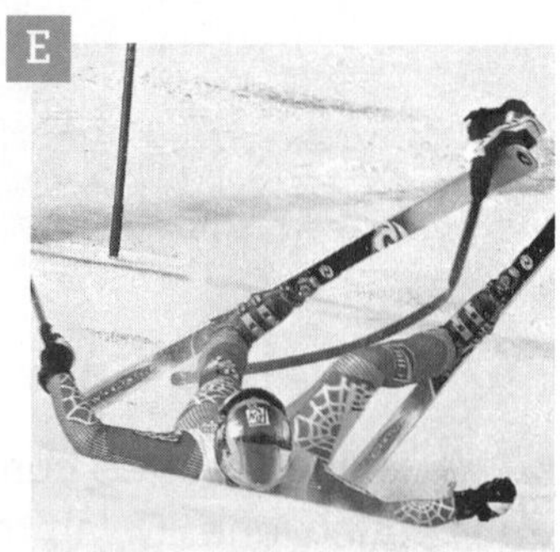

B

D

F

Nombre: .... **Fecha:** ....

DE VUELTA A CASA

1 Una ruta en español

▶ **Escucha** algunos datos sobre la carretera Panamericana y traza la ruta oficial en el mapa. ¿Por qué países pasa la ruta Panamericana? Escucha de nuevo y márcalos en el recuadro de la derecha.

- ☐ Canadá
- ☐ Estados Unidos
- ☐ México
- ☐ Belice
- ☐ Guatemala
- ☐ Honduras
- ☐ Nicaragua
- ☐ Costa Rica
- ☐ El Salvador
- ☐ Panamá
- ☐ Colombia
- ☐ Venezuela
- ☐ Brasil
- ☐ Ecuador
- ☐ Perú
- ☐ Bolivia
- ☐ Paraguay
- ☐ Uruguay
- ☐ Argentina
- ☐ Chile

2 El sonido Ñ

▶ **Escucha.** Escribe 1 si escuchas la palabra en primer lugar y 2 si la escuchas en segundo lugar. Luego, repite los pares de palabras.

a. __1__ campaña __2__ campana
b. ____ sonar ____ soñar
c. ____ una ____ uña
d. ____ peña ____ pena
e. ____ mono ____ moño
f. ____ caña ____ cana

3 Palabras incompletas

▶ **Escucha** y completa las oraciones con *n* o con *ñ*.

1. Bego___a tie___e u___a mu___eca a___di___a muy li___da.
2. Mari___a tie___e una casa peque___a con balcó___.
3. La la___a de vicu___a es bue___a para el dise___o.
4. Mi herma___a Maria___a ___o es u___a ___i___a taca___a.
5. Cada ma___a___a veo la monta___a por la venta___a.

4 Dictado con la eñe

▶ **Escucha** y escribe. Luego, repite en voz alta.

1. ______________________________
2. ______________________________
3. ______________________________
4. ______________________________
5. ______________________________

5 Trabalenguas

▶ **Escucha** y repite en voz alta. ¡Apréndelo de memoria!

Todas las mañanas
la araña Titania
se ducha y se baña
en su telaraña.

En su telaraña,
allí en la montaña,
todas las mañanas
Titania se baña.

Nombre: .... **Fecha:** ....

6 Enigmas del Universo

▶ **Escucha** el programa de radio e indica si estas afirmaciones son ciertas (C) o falsas (F).

1. América es un continente grandísimo. C F
2. La montaña más alta del mundo está en Oceanía. C F
3. La Antártida es el continente situado más al sur. C F
4. El océano Pacífico separa América de Asia. C F
5. Estados Unidos es el país más grande del mundo. C F
6. Rusia es más grande que Canadá. C F

7 La región Próspera

▶ **Escucha** la descripción de la región Próspera y escribe los nombres del recuadro en los lugares correspondientes.

Alpenilla	*Guadalpar*	*Harapito*	*Andrájico*
Rasgadura	*Fortuna*	*Pintón*	*Jirones*

8 El continente americano

▶ **Escucha** el concurso sobre la geografía de América y escribe el nombre del país correspondiente al lado de cada accidente geográfico (*geographical feature*).

Accidentes geográficos	Países
1. El río más largo.	
2. La montaña más alta.	
3. La ciudad más poblada.	
4. El bosque más extenso.	
5. El lago más profundo.	
6. El puerto más internacional.	
7. Las cataratas más altas.	

9 Tres experiencias

▶ **Escucha** los anuncios y escribe el nombre de cada agencia de turismo debajo del destino correspondiente.

A

B

C

▶ **Escucha** otra vez y marca los lugares o accidentes geográficos mencionados en los anuncios.

☐ pradera	☐ valle	☐ montaña	☐ bahía
☐ catarata	☐ río	☐ desierto	☐ colina
☐ bosque	☐ mar	☐ glaciar	☐ selva

Nombre: .... **Fecha:** ....

10 El juego de los nombres

▶ **Habla** y juega con tres compañeros(as). Por turnos, elijan una letra del alfabeto. Deben completar cada fila de su tabla con nombres que empiezan por esa letra. ¡Quien termina antes gana!

	Río o lago	Montaña o volcán	Ciudad	País
1. Letra ___				
2. Letra ___				
3. Letra ___				
4. Letra ___				
5. Letra ___				
6. Letra ___				
7. Letra ___				
8. Letra ___				

▶ **Habla** con tus compañeros(as) para adivinar los nombres escritos en sus tablas.

Modelo

11 Un continente nuevo

▶ **Dibuja** un continente imaginario. Incluye ríos, montañas, lagos, praderas, etc. Descríbeselo a tu compañero(a) para que él/ella lo dibuje. Luego, tu compañero(a) describe el suyo y tú lo dibujas.

Tu continente

El continente de tu compañero

Nombre: .... **Fecha:** ....

12 Por el mundo

▶ **Escucha** los planes de viaje de algunos jóvenes. Dibuja cada ruta y escribe el nombre de cada persona debajo del mapa correspondiente.

A
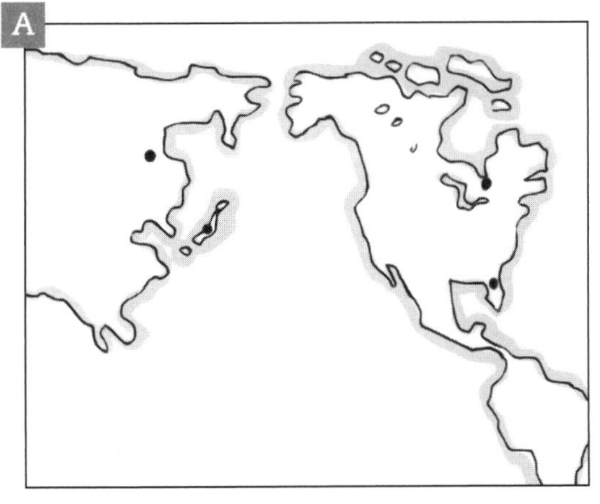

C
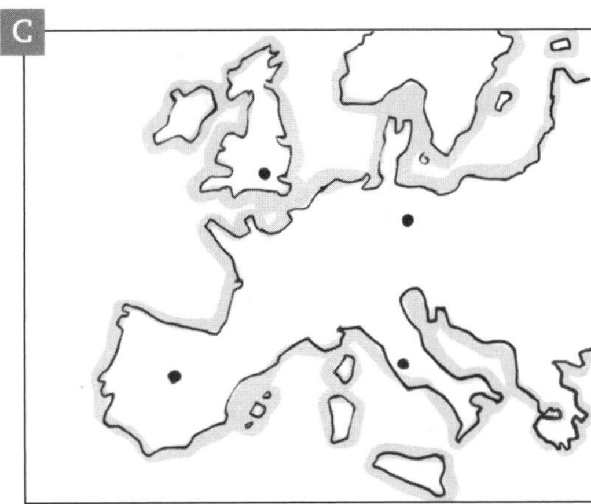

B
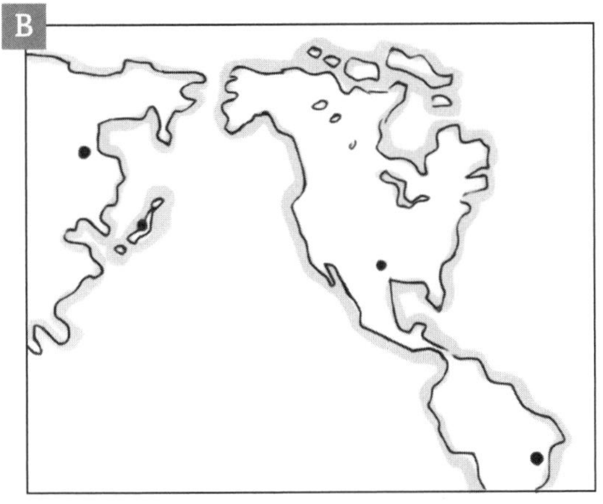

D
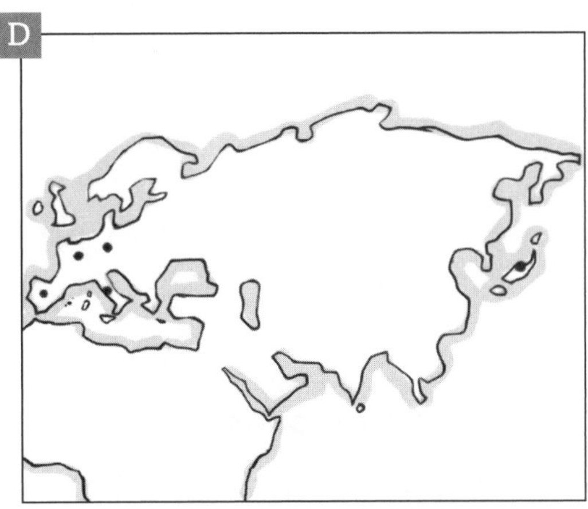

▶ **Escucha** de nuevo e indica si las siguientes afirmaciones son ciertas (C) o falsas (F).

1. Lucía va a ir a China cuando acabe el curso. C F
2. Jesús va a viajar en avión desde São Paulo a Tokio. C F
3. José va a hacer escala en Canadá para ir a Japón. C F
4. Lucía va a visitar Portugal y el Reino Unido. C F
5. Francisco va a viajar en tren de Alemania a Italia. C F
6. Marta y Álex van a volar a China desde Japón. C F

13 ¿Qué país es?

▶ **Escucha** las descripciones y escribe el nombre del país correspondiente.

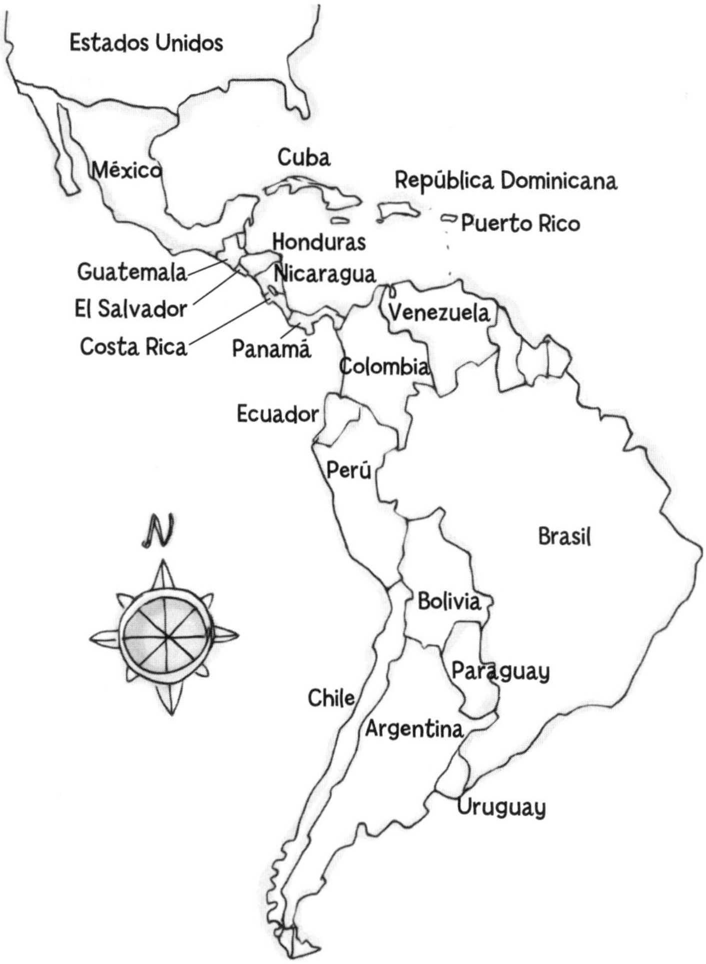
Estados Unidos
México
Cuba
República Dominicana
Puerto Rico
Honduras
Guatemala
Nicaragua
El Salvador
Costa Rica
Panamá
Venezuela
Colombia
Ecuador
Perú
Brasil
Bolivia
Paraguay
Chile
Argentina
Uruguay
N

1. ____________
2. ____________
3. ____________
4. ____________
5. ____________
6. ____________
7. ____________
8. ____________

14 ¡Cuántos planes!

▶ **Escucha** el mensaje de Alba y ordena los eventos.

____ Ir a la playa con Violeta.

____ Viajar a Nueva York.

____ Ir a casa de los abuelos.

____ Preparar la cena.

____ Vivir en Hawái.

____ Terminar el curso.

____ Hacer deporte.

NEW YORK
NEW YORK

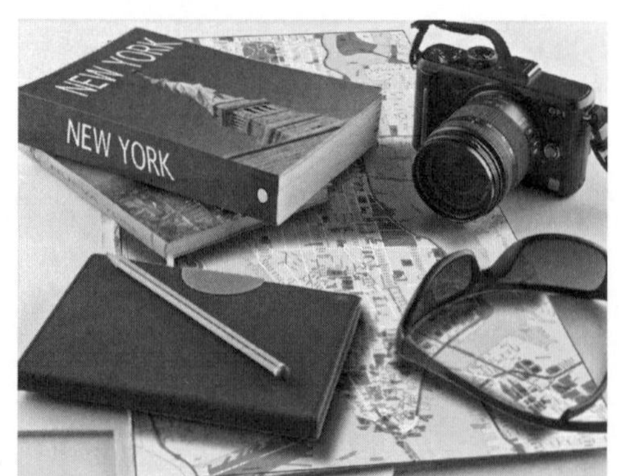

Nombre: .... **Fecha:** ....

15 Adivinamos países

▶ **Habla** con tu compañero(a). Elige un país del mapa y dale pistas sobre su ubicación. Tu compañero(a) debe adivinar qué país es.

Modelo

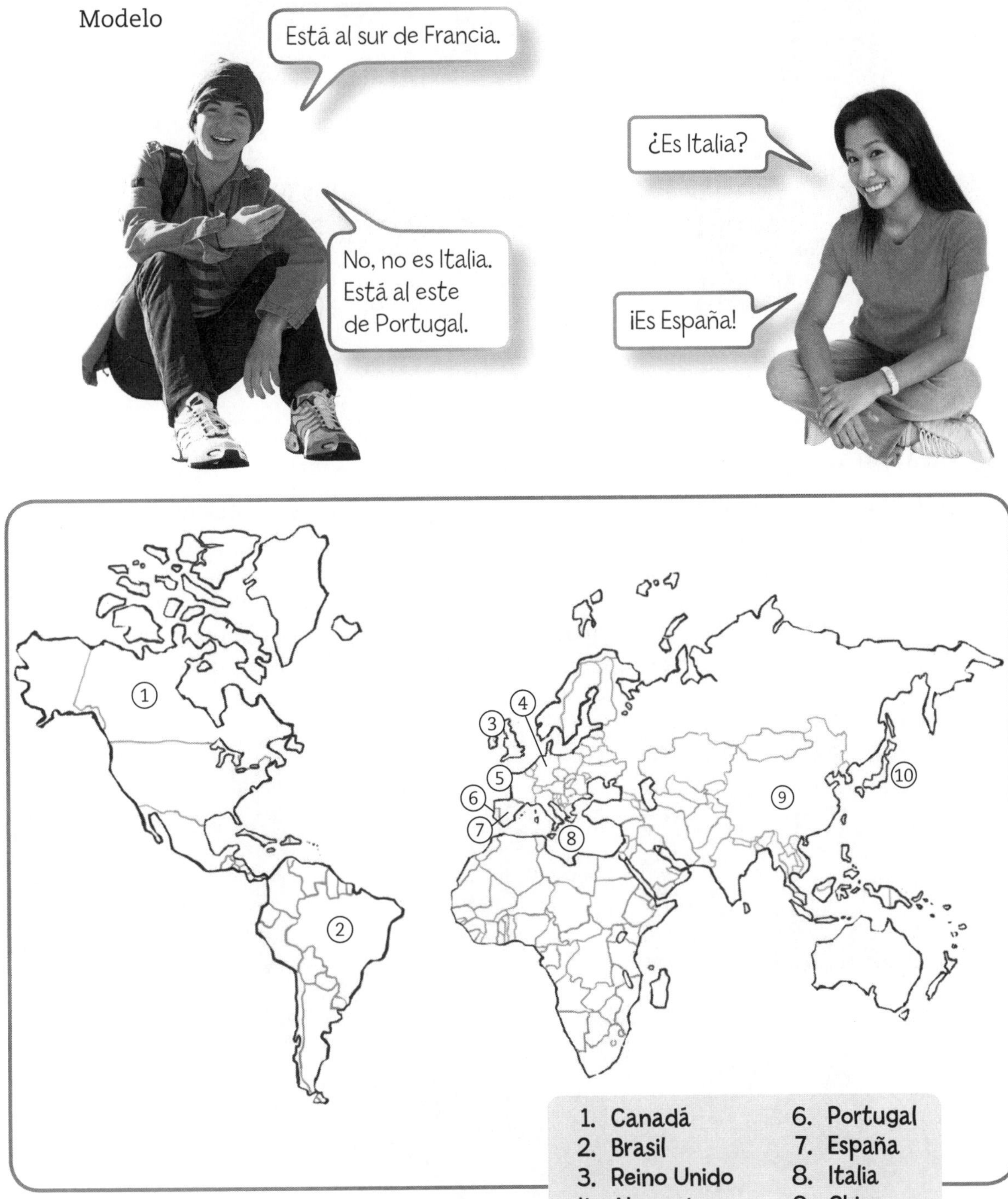

1. Canadá
2. Brasil
3. Reino Unido
4. Alemania
5. Francia
6. Portugal
7. España
8. Italia
9. China
10. Japón

16 ¿Qué vamos a hacer?

▶ **Habla** con dos compañeros(as). Por turnos, hablen de sus planes.

Modelo

- Dentro de media hora...
- Esta tarde...
- Mañana...
- Pasado mañana...
- El próximo sábado...
- El domingo que viene...
- La semana que viene...
- En mi próximo cumpleaños...
- En las vacaciones de verano...

17 Cuando...

▶ **Habla** con tu compañero(a). Digan qué van a hacer en las situaciones representadas en las imágenes.

Modelo

Cuando tenga mucho dinero, voy a viajar alrededor del mundo.

Pues yo, cuando tenga mucho dinero, voy a comprarme un barco.

1

3

5

2

4

6

Nombre: .... **Fecha:** ....

18 ¿Qué tiempo hará?

▶ **Escucha** la predicción del tiempo y relaciona cada ciudad con el símbolo correspondiente.

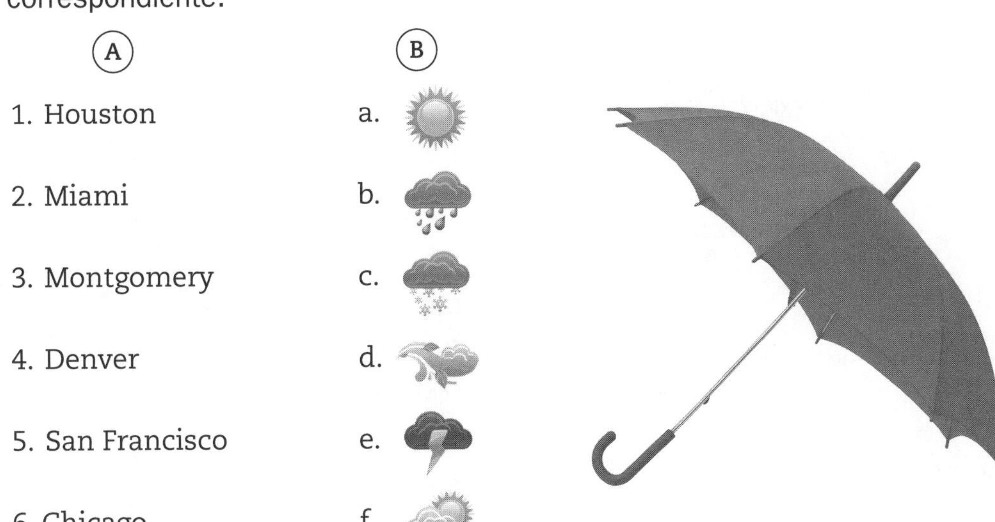

(A)	(B)
1. Houston	a.
2. Miami	b.
3. Montgomery	c.
4. Denver	d.
5. San Francisco	e.
6. Chicago	f.

19 Las próximas vacaciones

▶ **Escucha** e indica si las siguientes afirmaciones son ciertas (C) o falsas (F). Luego, corrige las afirmaciones falsas.

1. Rafa y Eva viajarán a Europa en sus vacaciones de verano. C F

 ____

2. En verano hará mal tiempo en toda Europa. C F

 ____

3. Rafa y Eva viajarán en tren de Francia a Italia. C F

 ____

4. Rafa y Eva viajarán por el sur de Italia. C F

 ____

5. Rafa y Eva pasarán quince días en Italia. C F

 ____

6. Rafa y Eva volverán a Estados Unidos en septiembre. C F

 ____

20 El hombre del tiempo

▶ **Escucha** el pronóstico del tiempo y dibuja los símbolos en los lugares correspondientes del mapa.

21 El día de mañana

▶ **Escucha** los planes de David y completa las oraciones.

1. Cuando David tenga veinticinco años, ______________________________

____

2. Cuando David termine sus estudios en la escuela, ______________________________

____

3. Cuando llegue el verano, ______________________________

____

4. Cuando su abuela se vaya a Canadá, ______________________________

____

5. Cuando nieve en Vermont, ______________________________

____

Nombre: .... **Fecha:** ....

22 Predicciones

▶ **Habla** con tu compañero(a). Digan qué tiempo hará en estas ciudades y qué pueden hacer las personas en cada lugar.

Modelo

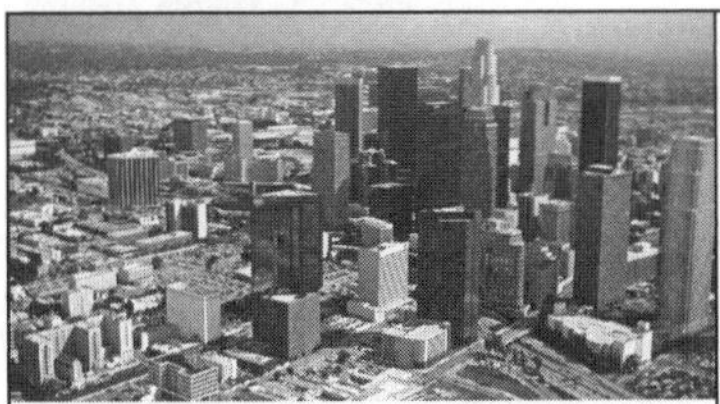

Los Ángeles 19 °C	Chicago 20 °C	Nueva York 27 °C
Miami 30 °C	Ciudad de México 20 °C	San Juan 30 °C
Caracas 28 °C	Lima 19 °C	Quito 21 °C
La Paz 14 °C	Asunción 25 °C	Buenos Aires 17 °C

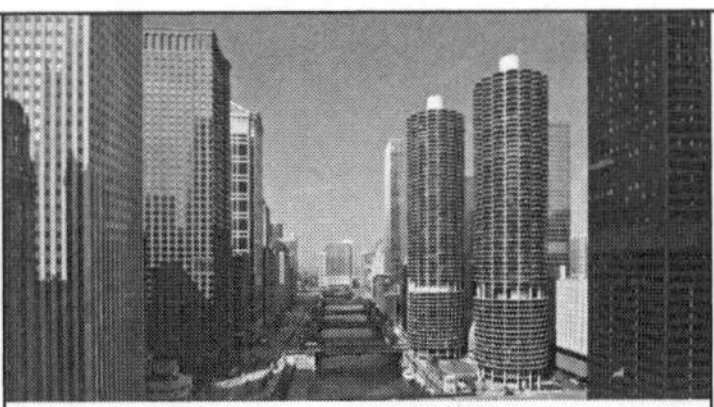

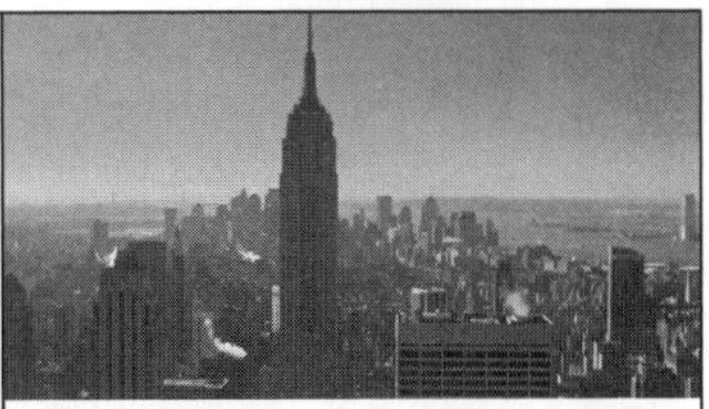

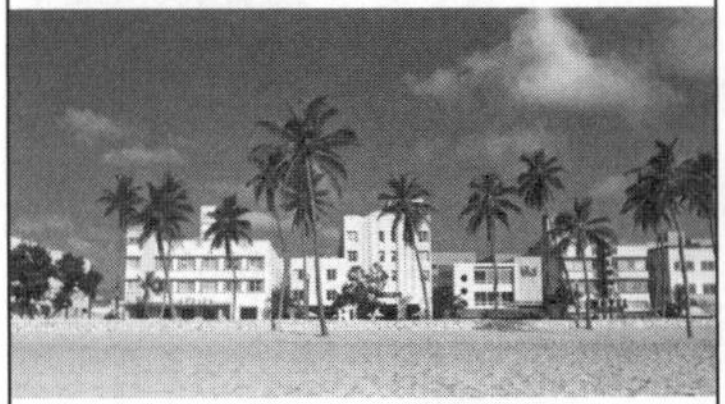

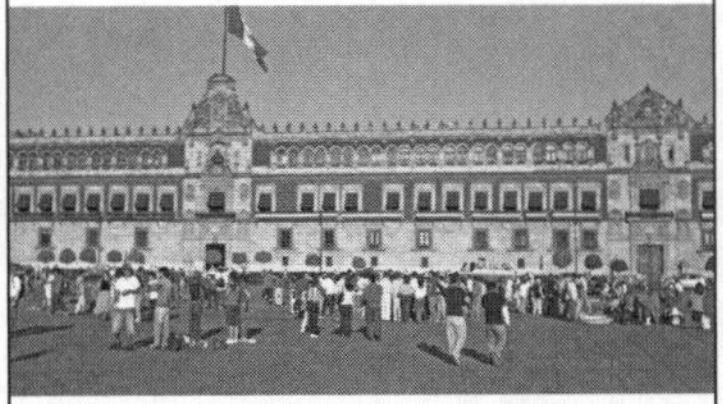

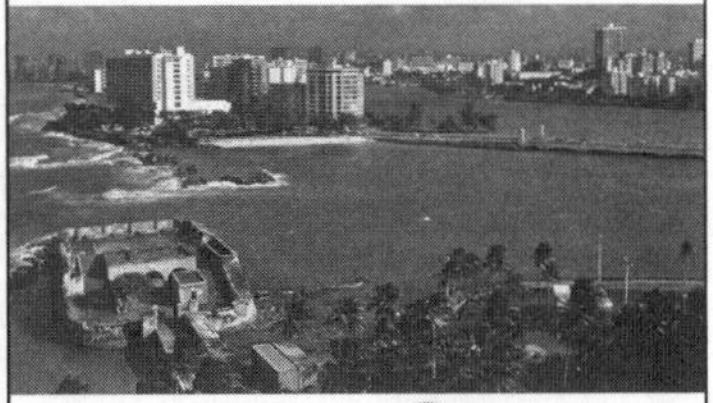

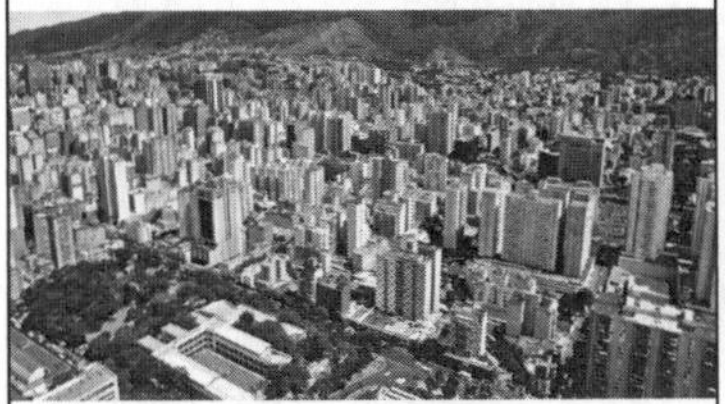

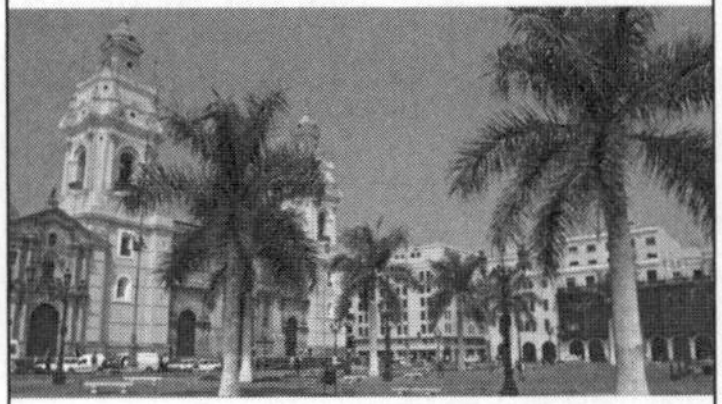

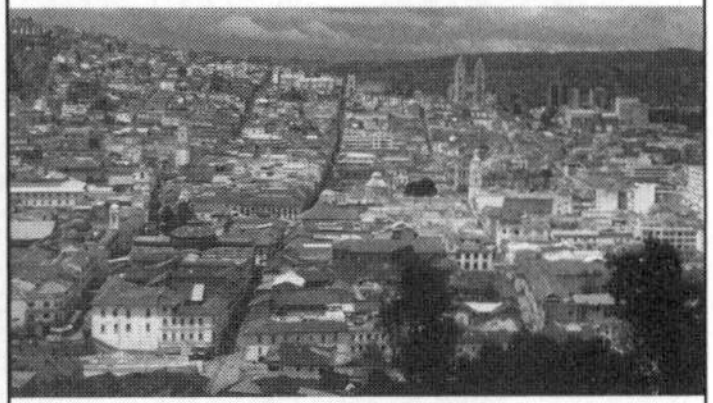

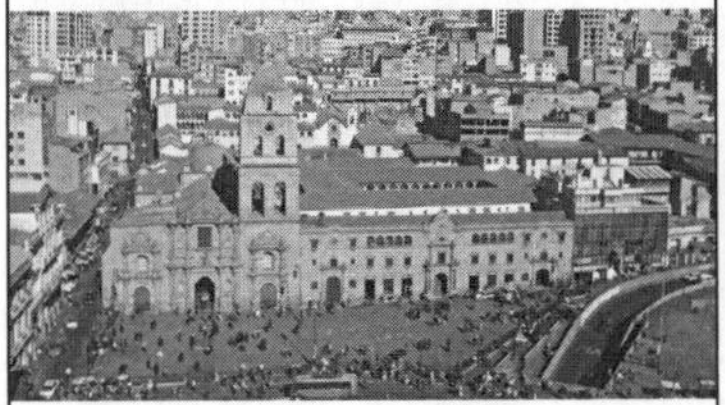

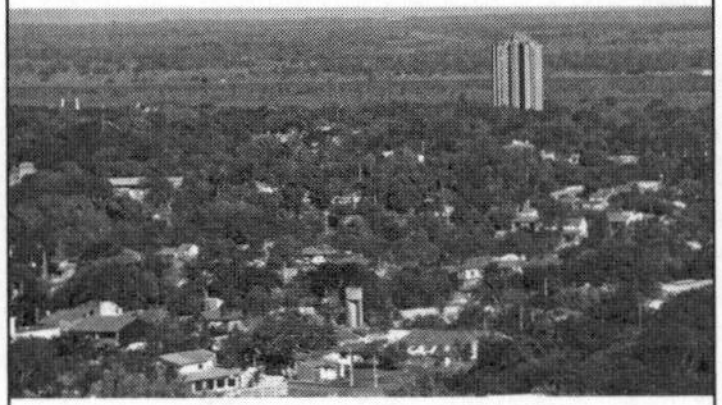

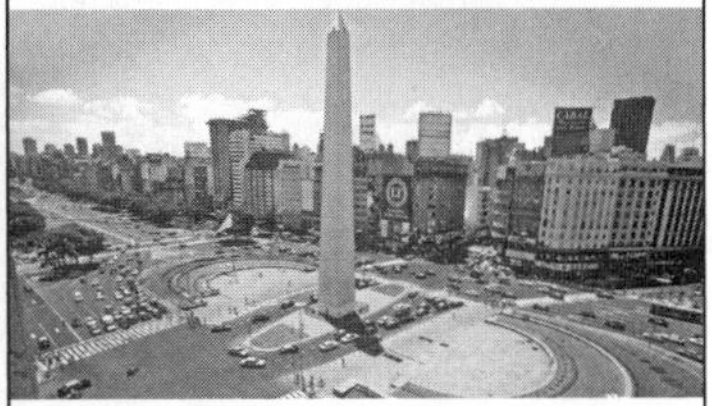

23 Cuando las vacas vuelen...

▶ **Habla** con tu compañero(a). Digan qué harán o qué ocurrirá en las siguientes situaciones.

Modelo

1. Cuando las vacas vuelen...
2. Cuando los perros hablen español...
3. Cuando nieve en Miami...
4. Cuando no haya partidos de baloncesto...
5. Cuando tengan la licencia de conducir...
6. Cuando salgan de la Universidad...
7. Cuando en Vermont la temperatura sea de −30 °C...
8. Cuando el vuelo entre San Francisco y Madrid dure una hora...

24 La película sobre el tornado

▶ **Habla** con tu compañero(a). ¿Qué harán si llega un tornado a su ciudad? Explíquenlo y creen una historia con los hechos. Luego, presenten su "película" a la clase.

Modelo

Nombre: .... **Fecha:** ....

25 ¿Quiénes son los dueños?

▶ **Escucha** y escribe debajo de cada animal el nombre de su dueño.

A

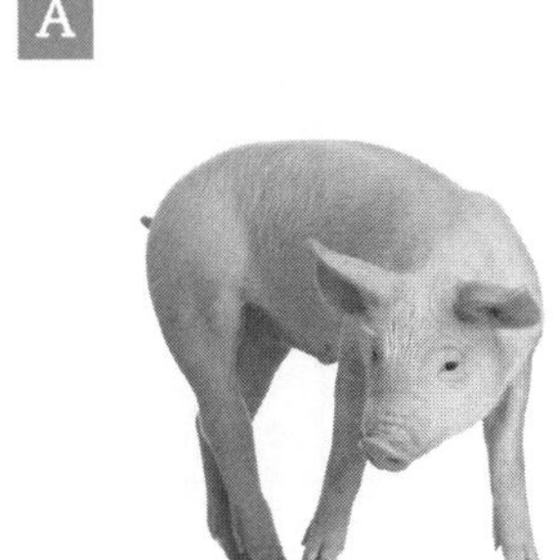

____

C

____

E

____

B

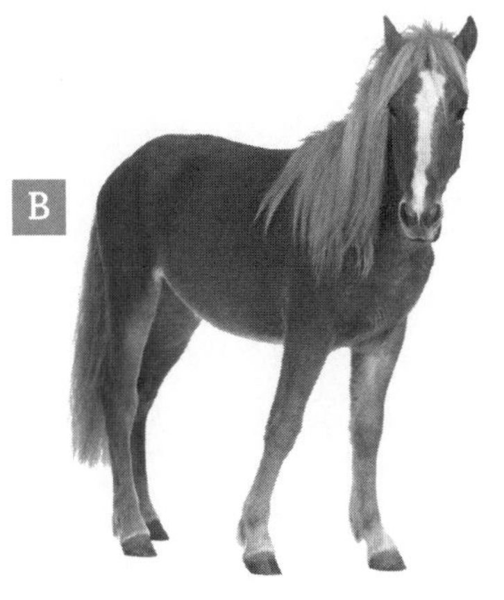

____

D

____

F

____

26 Las normas son importantes

▶ **Escucha** las normas del parque e indica si las siguientes afirmaciones son ciertas (C) o falsas (F).

1. Se prohíbe dar de comer a todos los animales.	C	F
2. Se permite dar comida apropiada a las ovejas.	C	F
3. Se permite tocar a los monos.	C	F
4. Se prohíbe hacer fuego en el parque.	C	F
5. Se permite cortar flores del parque.	C	F
6. En el parque hubo problemas de contaminación.	C	F
7. Los visitantes del parque pueden plantar árboles.	C	F

27 Parques naturales

▶ **Escucha** los anuncios y marca. ¿En qué parque se hace cada actividad?

	PARQUE CARACOL	PARQUE ISLAZUL
1. Se permite entrar a niños pequeños.		
2. Se trabaja los domingos.		
3. Se puede montar a caballo.		
4. Se permite bañarse en la laguna.		
5. Se protege a especies en peligro.		
6. Se lucha contra la sequía.		
7. Se alimenta a animales salvajes.		
8. Se prohíbe dar de comer a los osos.		

28 Problemas medioambientales

▶ **Escucha** el reportaje y responde a las preguntas.

1. ¿Qué problema importante hay en Costa Rica?

____

2. ¿Qué especies se protegen en el parque Dolmes?

____

3. ¿Qué animales se pueden ver en Dolmes?

____

4. ¿Cómo se conservan los recursos naturales en Costa Rica?

____

5. ¿Dónde hay problemas de contaminación en Costa Rica?

____

6. ¿Qué hacen en Costa Rica para solucionar el problema de la contaminación?

____

Nombre: .... **Fecha:** ....

29 Adivinanzas de animales

▶ **Habla** con tu compañero(a). Por turnos, describan un animal; tu compañero(a) tiene que adivinar cuál es. Aquí tienen algunas palabras útiles.

30 El juego de las mentiras

▶ **Habla** con tu compañero(a). Por turnos, hagan una afirmación falsa sobre algún animal para que el/la compañero(a) la corrija. Utilicen las frases del recuadro y añadan otras.

Modelo

1. ... pone huevos.	5. ... tiene cuatro patas.
2. ... tiene plumas.	6. ... no tiene plumas.
3. ... come carne.	7. ... es un animal salvaje.
4. ... es un animal doméstico.	8. ... no tiene trompa.

31 Se hacen estas cosas

▶ **Habla** con tu compañero(a). ¿Qué se hace en los siguientes lugares? Indíquenlo por turnos.

Modelo

En la escuela se estudia desde las ocho de la mañana hasta las tres de la tarde.

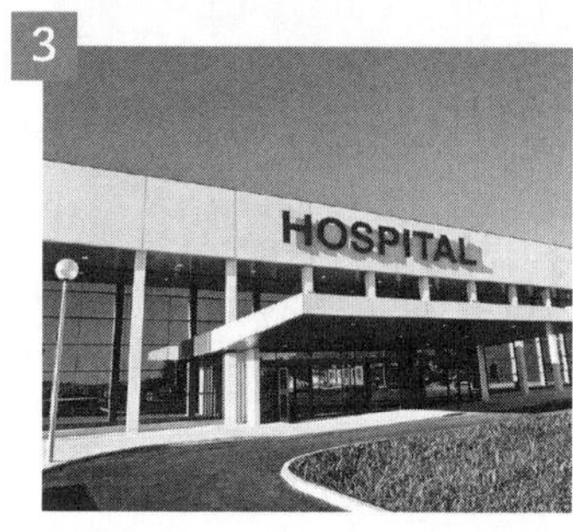

32 Soluciones ecológicas

▶ **Habla** con dos compañeros(as) sobre los problemas ecológicos de su ciudad o estado. Expliquen cómo se pueden solucionar.

Modelo

En nuestra ciudad hay mucha contaminación. Se debe utilizar más el transporte público.

Nombre: .... **Fecha:** ....

33 El tiempo en el mundo

▶ **Escucha** el pronóstico del tiempo y elige la opción correcta en cada caso.

1. Las temperaturas en China estarán...
   a. por debajo de 0 °C. b. por encima de 0 °C. c. por encima de 3 °C.
2. En Japón...
   a. lloverá todo el día. b. lloverá por la tarde. c. no lloverá.
3. En Alemania...
   a. estará nublado. b. hará viento. c. lloverá.
4. En Francia...
   a. nevará en la costa. b. nevará en el interior. c. no nevará.
5. En España...
   a. hará sol y viento. b. hará sol y calor. c. estará nublado.
6. Las temperaturas en Portugal serán...
   a. altas por el día. b. bajas por la noche. c. bajas por el día.

34 ¿En qué orden?

▶ **Escucha** las instrucciones y ordena estos lugares de acuerdo con la ruta propuesta.

A
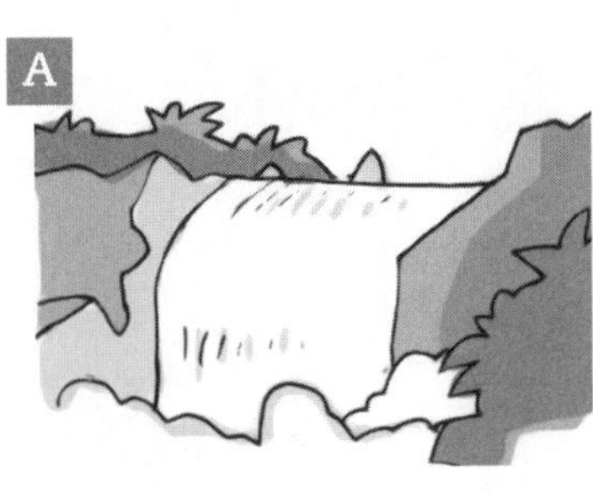
______

C

______

E
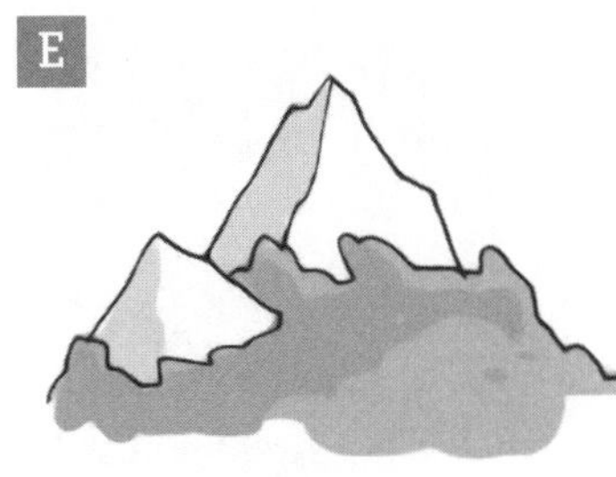
______

B

______

D
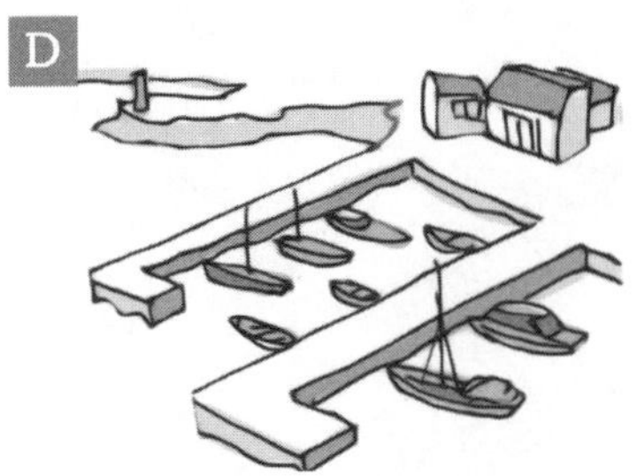
______

F

______

35 Problemas naturales

▶ **Escucha** la noticia e indica si estas afirmaciones son ciertas (C) o falsas (F).

1. Al noroeste de la región hay un volcán en erupción. C F
2. Un tornado llegará a la región la semana que viene. C F
3. En el sur de la región hay sequía. C F
4. Hubo incendios en los bosques del norte. C F
5. Un terremoto destruyó el puerto. C F
6. La contaminación es el problema más importante del río Pongo. C F

36 ¿Dónde están?

▶ **Escucha** a la guía y dibuja cada animal en su lugar.

Nombre: .... **Fecha:** ....

37 ¿Qué tiempo hace?

▶ **Habla** con tu compañero(a). Describan los lugares de las imágenes e indiquen cómo es el clima en esos lugares.

1

3

5

2

4

6

38 ¡Soluciones!

▶ **Representa** con tu compañero(a) un diálogo entre un periodista y un político. El periodista pregunta cómo se resolverán algunos problemas de la ciudad o el país y el político debe responder adecuadamente. Luego, cambien de papel.

Modelo

39 El mapa del tesoro

▶ **Habla** con dos compañeros(as). Uno(a) de ustedes esconde (*hide*) el tesoro de los piratas en la isla y los(as) compañeros(as) le hacen preguntas para averiguar dónde está escondido. Luego, cambien de papel.

Modelo

CRÉDITOS FOTOGRÁFICOS

Cubierta F. Waldhaeusl/ARCO/A. G. E. FOTOSTOCK; Michael S. Lewis/GETTY IMAGES SALES SPAIN; I. PREYSLER/ATREZZO: HELEN CHELTON; ISTOCKPHOTO; ARCHIVO SANTILLANA **Contracubierta** Algar/MUSEU PICASSO, BARCELONA; Hauke Dressler/A. G. E. FOTOSTOCK; REUTERS/Marcos Brindicci/CORDON PRESS; Ken Gillham/GETTY IMAGES SALES SPAIN; ARCHIVO SANTILLANA **001** I. PREYSLER/ATREZZO: HELEN CHELTON **003** Prats i Camps **006** José Antonio Hernaiz, Kevin Schafer/A. G. E. FOTOSTOCK; EFE; ISTOCKPHOTO; SEIS X SEIS **007** ISTOCKPHOTO **009** ISTOCKPHOTO **010** Blend Images/Jon Feingersh, Photos.com Plus/GETTY IMAGES SALES SPAIN **012** I. PREYSLER/ATREZZO: HELEN CHELTON **013** Prats i Camps **014** Photos.com Plus/GETTY IMAGES SALES SPAIN **017** Prats i Camps; Rudolf/ARCO, Thierry Foulon/A. G. E. FOTOSTOCK; Photos.com Plus/GETTY IMAGES SALES SPAIN; ISTOCKPHOTO **018** Kodak EasyShare; Laura Doss/Corbis/CORDON PRESS; Photos.com Plus, Stewart Charles Cohen/GETTY IMAGES SALES SPAIN; I. PREYSLER/ATREZZO: HELEN CHELTON; ISTOCKPHOTO **020** Prats i Camps; FOTONONSTOP; Photos.com Plus/GETTY IMAGES SALES SPAIN; ARCHIVO SANTILLANA **021** Photos.com Plus/GETTY IMAGES SALES SPAIN **022** MATTON-BILD; FOTONONSTOP **023** Krauel; Margie Politzer/A. G. E. FOTOSTOCK; SEIS X SEIS **025** J. M.ª Escudero; MATTON-BILD; Jacobs Stock Photography, Matelly, Rene Sheret/GETTY IMAGES SALES SPAIN **026** Prats i Camps **027** Cortesía de Apple; Prats i Camps; Max Oppenheim, Mimi Haddon, Photos.com Plus/GETTY IMAGES SALES SPAIN; I. PREYSLER; SERIDEC PHOTOIMAGENES CD/JOHN FOXX IMAGES; ARCHIVO SANTILLANA **028** J. Jaime; Prats i Camps; SERIDEC PHOTOIMAGENES CD; ISTOCKPHOTO **029** Prats i Camps; A. Prieto/AGENCIA ESTUDIO SAN SIMÓN; Ibiza shots, Image Source, Mauritius/Nikky/FOTONONSTOP **031** ISTOCKPHOTO **032** CONTIFOTO; David Aguilar, Toni Garriga/EFE; Tips/Mizar/FOTONONSTOP; Brian Cleary/AFP PHOTO, David Cannon, WireImage/Rodrigo Varela/GETTY IMAGES SALES SPAIN **035** Prats i Camps; Cultura/Echo/GETTY IMAGES SALES SPAIN **036** Prats i Camps; AbleStock.com/HIGHRES PRESS STOCK; PHOTODISC/SERIDEC PHOTOIMAGENES CD **039** Inti St. Clair/GETTY IMAGES SALES SPAIN **040** Frida Marquez, Photos.com Plus/GETTY IMAGES SALES SPAIN; HIGHRES PRESS STOCK **041** SERIDEC PHOTOIMAGENES CD; Brian Milne, Fuse, George Doyle, Mareen Fischinger, Stockbyte/GETTY IMAGES SALES SPAIN **043** Rob Lewine/GETTY IMAGES SALES SPAIN **044** Prats i Camps; Margaret Lampert, Moodboard, Paul Bradbury, Zave Smith/GETTY IMAGES SALES SPAIN; ISTOCKPHOTO **045** F. Gierth/ARCO, Angelo Cavalli/A. G. E. FOTOSTOCK; Niko Guido/GETTY IMAGES SALES SPAIN **046** A. Toril; Pixmann/A. G. E. FOTOSTOCK **047** J. Jaime; S. Padura; SERIDEC PHOTOIMAGENES CD; Fuse, Patti McConville/GETTY IMAGES SALES SPAIN **049** Prats i Camps **051** Prats i Camps; S. Padura **053** Prats i Camps; S. Enríquez; S. Padura **054** Prats i Camps **055** J. Jaime; PHILIPS; Photos.com Plus/GETTY IMAGES SALES SPAIN; AbleStock.com/HIGHRES PRESS STOCK; I. PREYSLER/ATREZZO: HELEN CHELTON **056** Nicholas Eveleigh/GETTY IMAGES SALES SPAIN **057** Prats i Camps 058 MATTON-BILD; Photos.com Plus/GETTY IMAGES SALES SPAIN; ISTOCKPHOTO; PHOTOALTO/SERIDEC PHOTOIMAGENES CD **061** Prats i Camps **062** Prats i Camps **063** Image Source/FOTONONSTOP; Compassionate Eye Foundation, Fuse, Siri Stafford/GETTY IMAGES SALES SPAIN **064** SERIDEC PHOTOIMAGENES CD **065** J. Jaime; Prats i Camps; S. Padura; Photos.com Plus/GETTY IMAGES SALES SPAIN; I. PREYSLER/ATREZZO: HELEN CHELTON; ISTOCKPHOTO **066** Bilderlounge, Sozaijiten/Datacraft/GETTY IMAGES SALES SPAIN **067** C. Díez Polanco; EFE **069** C. Díez Polanco; Prats i Camps; Christopher Robbins, Kristofer Samuelsson, PhotoAlto/Sigrid Olsson/GETTY IMAGES SALES SPAIN; JOHN FOXX IMAGES/SERIDEC PHOTOIMAGENES CD **072** Prats i Camps; Dennis MacDonald, Image Source, Jeff Greenberg, Merten, Palladium/A. G. E. FOTOSTOCK; COMSTOCK **073** Prats i Camps; I. PREYSLER/ATREZZO: HELEN CHELTON **076** Onoky/L.A. NOVIA, Science Photo Library/FOTONONSTOP **077** Prats i Camps; S. Padura; Jupiterimages/GETTY IMAGES SALES SPAIN **078** C. Díez Polanco; Prats i Camps; S. Padura; Tips/Jean Claude Lozouet/FOTONONSTOP; AbleStock.com/HIGHRES PRESS STOCK **080** Chemistry, Gala Narezo, Jack Hollingsworth/GETTY IMAGES SALES SPAIN **083** Prats i Camps **084** Prats i Camps **085** A. Toril; Andy Crawford/GETTY IMAGES SALES SPAIN; I. PREYSLER/ATREZZO: HELEN CHELTON; ISTOCKPHOTO **086** Prats i Camps; O. Baumgartner/SYGMA/CONTIFOTO **088** A. G. E. FOTOSTOCK **089** Dave Bartruff, Keith ErskineÂ/A. G. E. FOTOSTOCK; I. PREYSLER/ATREZZO: HELEN CHELTON **091** Photos.com Plus/GETTY IMAGES SALES SPAIN; I. PREYSLER/ATREZZO: HELEN CHELTON **093** MATTON-BILD; Alberto Martín, Mario Guzmán/EFE; MCT/GETTY IMAGES SALES SPAIN **094** J. Jaime; CORBIS, Heather Winters/A. G. E. FOTOSTOCK; FOTONONSTOP; Photos.com Plus/GETTY IMAGES SALES SPAIN; I. PREYSLER/ATREZZO: HELEN CHELTON **095** A. Toril; J. Jaime; I. PREYSLER/ATREZZO: HELEN CHELTON **096** Gustavo Andrade/A. G. E. FOTOSTOCK; COMSTOCK **097** ICE TEA IMAGES, Stockbroker xtra/A. G. E. FOTOSTOCK **098** Prats i Camps; Emily Shur/GETTY IMAGES SALES SPAIN **100** I. PREYSLER/ATREZZO: HELEN CHELTON **101** J. Jaime; I. PREYSLER/ATREZZO: HELEN CHELTON **102** S. Padura; I. PREYSLER/ATREZZO: HELEN CHELTON;

ISTOCKPHOTO **104** Photos.com Plus/GETTY IMAGES SALES SPAIN **105** Prats i Camps; SERIDEC PHOTOIMAGENES CD **106** Prats i Camps **107** Purestock, Richard Cummins/A. G. E. FOTOSTOCK; Photos.com Plus/GETTY IMAGES SALES SPAIN; I. PREYSLER/ATREZZO: HELEN CHELTON **108** Keith ErskineÂ, Pat Canova/A. G. E. FOTOSTOCK; I. PREYSLER/ATREZZO: HELEN CHELTON; ISTOCKPHOTO **110** ISTOCKPHOTO **111** MUSEO NACIONAL CENTRO DE ARTE REINA SOFÍA; Gonzalo Azumendi/A. G. E. FOTOSTOCK; ISTOCKPHOTO **113** Algar/MUSEO ESPAÑOL DE ARTE CONTEMPORÁNEO, MADRID; Prats i Camps; Photos.com Plus/GETTY IMAGES SALES SPAIN; AbleStock.com/HIGHRES PRESS STOCK; ISTOCKPHOTO **115** Prats i Camps; IFPA/A. G. E. FOTOSTOCK; Ohlinger´s/SYGMA/CONTIFOTO **116** Photos.com Plus, Scott Quinn Photography/GETTY IMAGES SALES SPAIN **117** J. Jaime; A. G. E. FOTOSTOCK; COMSTOCK; Photos.com Plus/GETTY IMAGES SALES SPAIN; I. PREYSLER/ATREZZO: HELEN CHELTON; ISTOCKPHOTO **119** MATTON-BILD; Prats i Camps; S. Padura; DIGITALVISION/SERIDEC PHOTOIMAGENES CD; Juan Ocampo, Photos.com Plus, Thomas Barwick/GETTY IMAGES SALES SPAIN; I. PREYSLER/ATREZZO: HELEN CHELTON; ISTOCKPHOTO **120** Prats i Camps **121** Pixtal/A. G. E. FOTOSTOCK; AbleStock.com/HIGHRES PRESS STOCK; I. PREYSLER/ATREZZO: HELEN CHELTON **123** Prats i Camps; Photos.com Plus/GETTY IMAGES SALES SPAIN; ISTOCKPHOTO; ARCHIVO SANTILLANA **125** David Muscroft/A. G. E. FOTOSTOCK; Beyond foto, Caroline Purser, José Luis Pelaez Inc./GETTY IMAGES SALES SPAIN **126** Prats i Camps **127** Photos.com Plus/GETTY IMAGES SALES SPAIN **128** Prats i Camps; Holloway, Science Photo Library/GETTY IMAGES SALES SPAIN **129** S. Enríquez; Hervé Gyssels/FOTONONSTOP; Dave & Les Jacobs, Laurence Monneret/GETTY IMAGES SALES SPAIN; I. PREYSLER/ATREZZO: HELEN CHELTON; ISTOCKPHOTO **132** J. L. Pacheco; Prats i Camps; José Antonio Hernaiz, José Luis Pelaez Inc/A. G. E. FOTOSTOCK; Adrian Weinbrecht/FOTONONSTOP; Hill Street Studios, Photos.com Plus/GETTY IMAGES SALES SPAIN; AbleStock.com/HIGHRES PRESS STOCK; I. PREYSLER/ATREZZO: HELEN CHELTON; ISTOCKPHOTO **134** ISTOCKPHOTO **135** S. Enríquez; Martin Moxter/A. G. E. FOTOSTOCK; Photos.com Plus/GETTY IMAGES SALES SPAIN; I. PREYSLER/ATREZZO: HELEN CHELTON **137** Prats i Camps **138** Flying Colours Ltd., Image Source/GETTY IMAGES SALES SPAIN **140** J. Jaime **141** Don Bayley, Rubberball/Mike Kemp/GETTY IMAGES SALES SPAIN **142** Purestock, Red Chopsticks/GETTY IMAGES SALES SPAIN **143** J. Jaime; S. Enríquez; S. Padura; Photos.com Plus/GETTY IMAGES SALES SPAIN **145** Photos.com Plus/GETTY IMAGES SALES SPAIN **146** Image Source/GETTY IMAGES SALES SPAIN **148** Palladium/A. G. E. FOTOSTOCK **149** Photodisc/GETTY IMAGES SALES SPAIN **150** Prats i Camps **151** C. Díez Polanco; J. Jaime; J. Lucas; Photos.com Plus/GETTY IMAGES SALES SPAIN **153** I. PREYSLER/ATREZZO: HELEN CHELTON **154** J. C. Muñoz; Danita Delimont, Nivek Neslo, Symphonie/GETTY IMAGES SALES SPAIN; ARCHIVO SANTILLANA **156** I. PREYSLER/ATREZZO: HELEN CHELTON **159** Prats i Camps; Photos.com Plus/GETTY IMAGES SALES SPAIN **161** Prats i Camps; Photos.com Plus/GETTY IMAGES SALES SPAIN **162** Charlotte Nation/GETTY IMAGES SALES SPAIN **163** Prats i Camps; X. S. Lobato; Antonello Turchetti, Bambu Productions, José Luis Pelaez, Photos.com Plus, Zhang Bo/GETTY IMAGES SALES SPAIN **164** J. Jaime; S. Padura; Rubberball/A. G. E. FOTOSTOCK; COVER; C Squared Studios, Digital Vision/Tooga, John Rensten, Photos.com Plus/GETTY IMAGES SALES SPAIN; AbleStock.com/HIGHRES PRESS STOCK; I. PREYSLER/ATREZZO: HELEN CHELTON; ISTOCKPHOTO **165** S. Enríquez; Image Source, John Kelly, Photos.com Plus/GETTY IMAGES SALES SPAIN; ISTOCKPHOTO **167** COMSTOCK; Blend Images/ERproductions Ltd, IMAGEMORE Co, Ltd./GETTY IMAGES SALES SPAIN **168** Prats i Camps; Rubberball/Mike Kemp, Seth Kushner/GETTY IMAGES SALES SPAIN; ARCHIVO SANTILLANA **169** Laurent Zabulon/VANDYSTADT/CONTIFOTO; Glyn Kirk, AFP/STR/GETTY IMAGES SALES SPAIN; JOHN FOXX IMAGES/SERIDEC PHOTOIMAGENES CD; PHOTODISC/SERIDEC PHOTOIMAGENES CD **171** Drew Hallowell, Drew Hallowell/Philadelphia Eagles, Wesley Hitt/GETTY IMAGES SALES SPAIN **172** Paul Burns, Stephen Simpson/GETTY IMAGES SALES SPAIN; ISTOCKPHOTO; ARCHIVO SANTILLANA **173** STOCK PHOTOS **175** Prats i Camps; SERIDEC PHOTOIMAGENES CD; SuperStock/A. G. E. FOTOSTOCK; AbleStock.com/HIGHRES PRESS STOCK; ISTOCKPHOTO **176** J. Jaime; S. Enríquez; M. Twight/FREESTYLE/P.S./PRESSE SPORTS/CONTIFOTO; Onorati/EPA/EFE; Antonio Scorza/AFP PHOTO, Steve Granitz/GETTY IMAGES SALES SPAIN **178** Prats i Camps **180** D. Lezama; Krauel; ONCE **181** Anna Yu, Digital Vision/GETTY IMAGES SALES SPAIN **184** I. PREYSLER/ATREZZO: HELEN CHELTON **185** Bruce Laurance, Comstock Images/GETTY IMAGES SALES SPAIN **186** COMSTOCK; Photos.com Plus/GETTY IMAGES SALES SPAIN; AbleStock.com/HIGHRES PRESS STOCK; ISTOCKPHOTO **187** HIGHRES PRESS STOCK; ISTOCKPHOTO **189** C. Díez Polanco; J. V. Resino; M. Barcenilla; Johnny Stockshooter, José Enrique Molina, Liane Cary, World Pictures/Phot/A. G. E. FOTOSTOCK; COMSTOCK; EFE; FOTONONSTOP; Joe Sohm, Photos.com Plus/GETTY IMAGES SALES SPAIN; ISTOCKPHOTO **190** COMSTOCK; FOTONONSTOP; Photos.com Plus/GETTY IMAGES SALES SPAIN; PHOTODISC/SERIDEC PHOTOIMAGENES CD **191** David Hosking/FLPA/A. G. E. FOTOSTOCK; Eric Isselée/ISTOCKPHOTO **193** S. Enríquez; A. G. E. FOTOSTOCK **194** F. Ontañón; GOVERN DE LES ILLES BALEARS/CONSELLERIA DE SALUT I CONSUM; Prats i Camps; S. Enríquez; S. Padura; Therin-Weise/A. G. E. FOTOSTOCK; Digital Vision, Scott Quinn Photography/GETTY IMAGES SALES SPAIN; AbleStock.com/HIGHRES PRESS STOCK; ISTOCKPHOTO **197** J. C. Muñoz; M.ª A. Ferrándiz; Prats i Camps; DEA/PUBBLI AER FOTO, George Stocking/A. G. E. FOTOSTOCK; Photos.com Plus, Purestock/GETTY IMAGES SALES SPAIN **198** Fuse, Photos.com Plus, Thinkstock/GETTY IMAGES SALES SPAIN; ARCHIVO SANTILLANA

Notes

Notes

Notes

Notes

Notes

Notes

Notes